W9-BFX-646

MOLIÈRE

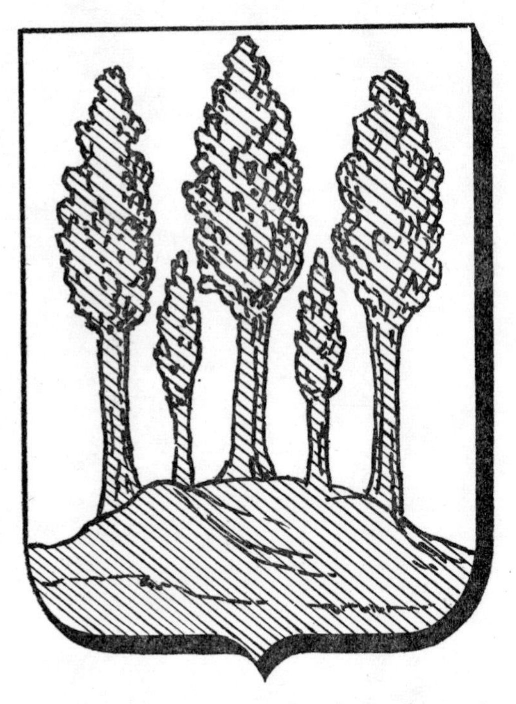

D'argent, à cinq arbres de sinople, dont trois de haute tige et deux plus petits posés entre les trois, le tout sur une terrasse de sinople.

JEAN MEYER

MOLIÈRE

LIBRAIRIE ACADÉMIQUE PERRIN
PARIS

IL A ÉTÉ TIRÉ DE CET OUVRAGE 50 EXEMPLAIRES DE LUXE, NUMÉROTÉS DE 1 A 50, CONSTITUANT
— L'ÉDITION ORIGINALE —

PRÉFACE

AIMER MOLIERE !

AIMER Molière, j'entends l'aimer sincèrement et de tout son cœur, c'est avoir une garantie en soi contre bien des défauts, bien des travers et des vices d'esprit. C'est ne pas aimer d'abord tout ce qui est incompatible avec Molière, tout ce qui lui était contraire en son temps, ce qui lui eût été insupportable du nôtre.

Aimer Molière, c'est être guéri à jamais, je ne parle pas de la basse et infâme hypocrisie, mais du fanatisme, de l'intolérance et de la dureté en ce genre, de ce qui fait anathématiser et maudire ; c'est apporter un correctif à l'admiration même pour Bossuet et pour tous ceux qui, à son image, triomphent, ne fût-ce qu'en paroles, de leur ennemi mort ou mourant ; qui usurpent je ne sais quel langage sacré et se supposent involontairement, le tonnerre en main, au lieu et place du Très-Haut. Gens éloquents et sublimes, vous l'êtes beaucoup trop pour moi !

Aimer Molière, c'est être également à l'abri et à mille lieues de cet autre fanatisme politique, froid, sec et cruel, qui ne rit pas, qui sent son sectaire, qui, sous prétexte de puritanisme, trouve moyen de pétrir et de combiner tous les fiels, et d'unir dans une doctrine amère les haines, les rancunes et les jacobinismes de tous les temps. C'est ne pas être moins éloigné, d'autre part, de ces âmes fades et molles qui, en présence du mal, ne savent ni s'indigner, ni haïr.

Aimer Molière, c'est être assuré de ne pas aller donner dans l'admiration béate et sans limite pour une Humanité qui s'idolâtre et qui oublie de quelle étoffe elle est faite et qu'elle n'est toujours, quoi qu'elle fasse, que l'humaine et chétive nature. C'est ne pas la mépriser trop pourtant, cette commune humanité dont on rit, dont on est, et dans laquelle on se replonge chaque fois avec lui par une hilarité bienfaisante.

Aimer et chérir Molière, c'est être antipathique à toute manière dans le langage et l'expression ; c'est ne pas s'amuser et s'attarder aux grâces mignardes, aux finesses cherchées, aux coups de pinceau léchés, au marivaudage en aucun genre, au style miroitant et artificiel.

Aimer Molière, c'est n'être disposé à aimer ni le faux bel esprit ni la science pédante ; c'est savoir reconnaître à première vue nos Trissotins et nos Vadius jusque sous leurs airs galants et rajeunis ; c'est ne pas se laisser prendre aujourd'hui plus qu'autrefois à l'éternelle Philaminte, cette précieuse de tous les temps, dont la forme seulement change et dont le plumage se renouvelle sans cesse ; c'est aimer la santé et le droit sens de l'esprit chez les autres comme pour soi.

SAINTE-BEUVE.

LA VOCATION

I

LA VOCATION

DES motifs politiques, sur lesquels il serait vain de s'étendre, ont poussé le roi Louis XIII et le cardinal de Richelieu, son ministre, sur la route de Narbonne. Gardes, soldats, écuyers, valets, cuisiniers, secrétaires, tapissiers, commis, porteurs et gentilshommes de toutes sortes précèdent ou suivent les deux maîtres de la France.

Les étapes sont courtes : non que l'on se soucie de faire plaisir à tout le monde — point de conseil municipal ou général à flatter — mais nous sommes au mois de juin, le cardinal est malade, las de ces courses en litière, fort éprouvé par la chaleur aussi. Certains jours, comme s'il sentait ses forces incapables de le mener au-delà de cette année 1642, il dicte son testament.

Un soir, à Montfrin, petit bourg du Languedoc, perdu dans les vignes et les cyprès, la caravane royale s'immobilise. L'installation commence aussitôt, suivant des rites vieux de cinq mois. Les tapissiers s'affairent les premiers, qui ont pour tâche de meubler le logis du roi. Parmi ceux-ci se distingue un jeune homme de vingt ans. Il n'est ni trop gras ni trop maigre, il a la taille plus grande que petite, la jambe belle, il marche gravement, a l'air très sérieux, le nez gros, la bouche grande, les lèvres épaisses, le teint brun, les sourcils noirs et forts et les divers mouvements qu'il leur donne lui rendent la physionomie extrêmement comique.

A l'égard de son caractère, il est doux, complaisant et généreux. Il s'est déjà fait remarquer à la cour pour un homme civil et honnête, ne se prévalant point de son mérite et de son crédit, s'accommodant à l'humeur de ceux avec qui il est obligé de vivre, ayant l'âme belle, libérale ; en un mot, possédant et exerçant toutes les qualités d'un parfait honnête homme.

Il ne parle guère en compagnie, à moins qu'il ne se trouve avec des personnes pour qui il ait une estime particulière ; cela fait dire à ceux qui ne le connaissent pas qu'il est rêveur et mélancolique. Mais s'il parle peu, il parle juste ; et d'ailleurs il observe les manières et les mœurs de tout le monde.

Cependant le lit du roi est fait, les rideaux posés et même tirés, les meubles bien en place, le nécessaire ouvert comme il se doit. Nous sommes aux jours de l'année qui sont les plus longs. Pas question de se coucher tôt : il fait trop chaud. Puisque le service du roi est rempli, notre héros, comme à l'accoutumée, attend le sommeil et une fraîcheur toute relative en explorant les lieux. Montfrin n'est pas très étendu, il pense qu'il en aura vite fait le tour. Soudain, il presse le pas. En débouchant sur une petite place il vient d'apercevoir une estrade, oh ! bien modeste : quelques tréteaux, quelques planches, point de rideau. La troupe des Béjart est là qui se prépare à donner la comédie. La bonne fortune ou peut-être un service de renseignement bien organisé l'a conduite ici le jour même où s'y arrête le roi. La conquête du Roussillon et l'arrestation de Cinq-Mars et de De Thou mises à part, les distractions, depuis cinq mois, ont été rares aux officiers de Sa Majesté. Le public habituel des comédiens s'en trouve donc considérablement grossi, la recette aussi.

Assis dans les premiers rangs, notre jeune tapissier est très attentif à la pièce. Chose étrange : après un quart d'heure il l'est beaucoup moins, presque plus après vingt minutes et quand la première demi-heure est passée il se sent pris par une sorte de trouble magique qui l'isole totalement du monde qui l'entoure. Il ne voit plus, il ne sent plus, il n'entend plus ni les réactions du public ni le jeu des acteurs. Une ravissante comédienne vient d'entrer en scène.

Elle a les traits réguliers, la taille fine, les cheveux roux, son regard est tendre avec de temps à autre des éclairs cruels, comme s'il se mariait à sa voix qui est à la fois douce et autoritaire.

Le spectacle fini il s'enquiert du nom de cette enchanteresse : Madeleine Béjart. Une force irrésistible va maintenant le pousser dans les coulisses du théâtre. Grisé, enhardi, sans insolence aucune, sans rien perdre de ses exquises manières il se présente : Jean-Baptiste Poquelin.

Elle reçoit son compliment en femme habituée aux hommages, un sourire indulgent, quelques mots, sa main à baiser, et la voilà partie. Non ! Jean-Baptiste garde cette main dans la sienne et il parle, il parle, elle ne peut plus l'arrêter. Sera-t-elle encore là demain ? Oui ! Alors il la reverra. Il salue, il s'en va, et, s'il s'endort en ce soir de la Saint-Jean d'été, étourdi, bouleversé et fiévreux, c'est que le dieu du théâtre et le dieu de l'amour, pour sa fête, descendent en lui, en même temps et pour la première fois.

Il n'a plus qu'une idée : revoir Madeleine. Il la revoit.

— Qui êtes-vous, Jean-Baptiste Poquelin ?

— Qui suis-je ? Un Parisien. Mon père, Jean Poquelin, a obtenu pour moi, l'aîné de ses enfants, quand j'avais quinze ans, la survivance de sa charge de tapissier, valet de chambre du roi. Il a dû rester à Paris et je suis parti sur les routes mêlé aussitôt à ce monde dangereux et séduisant : celui des intrigues de cour. La politique est partout ici, chez les valets comme chez les maîtres.

— L'aîné, avez-vous dit ? Vous avez donc des frères, des sœurs ?

— Deux frères et deux sœurs.

— Et votre mère ?

Jean-Baptiste baisse la tête. Sa mère n'est plus. Elle est morte quand il avait dix ans. Les petits Louis et Marie l'avaient précédée dans la tombe. Seuls restaient avec lui Jean, Nicolas et Madeleine quand son père, un an plus tard, s'est remarié avec Catherine Fleurette. De cette nouvelle union une seule fille a survécu : Catherine ; l'autre, Marguerite, a été emportée à l'âge de deux jours et leur mère est morte en couches le 12 novembre 1636, un mois avant le triomphe du *Cid*.

— Comment se nommait votre mère ?

— Marie... Marie Cressé. Mon grand-père signait même : de Cressé, mais ma mère....

— Parlez-moi de votre mère...

— Ma mère était délicate et tendre, elle avait un esprit élevé, des goûts à la fois simples et somptueux, une santé fragile. Elle aimait l'ordre, l'aisance, le bien-être. Elle se plaisait fort à la campagne, aussi chaque dimanche nous rendions-nous à Saint-Ouen, chez mon grand-père Louis Cressé qui possédait dans la rue de ce village une maison avec cour, étables et jardin. Rien ne manquait dans la chambre occupée par mes parents ni les boules de buis qui servaient de jouets aux enfants ni la paire de verges destinée à les corriger.

« Tout chez ma mère respirait le luxe et l'élégance, l'intelligence, le bon goût, la fine coquetterie, l'exigence. Impossible d'énumérer les draps fins, le linge et les habits enfermés dans les armoires, les livres en grand nombre, un gros Plutarque notamment dont mon père se servait sans le lire. Les bijoux de ma mère surtout m'éblouissaient : des bracelets, des colliers et pendants d'oreilles en perles fines, une agrafe en enseigne d'or émaillée au milieu de laquelle était une agate entourée d'émeraudes et de rubis ; des chaînes et chaînons d'or et deux ceintures de pièces d'or. Dans l'aiguille pour retenir ses cheveux était enchâssée une perle ; le bout de la chaîne pour suspendre la montre, l'anneau pour tenir le manchon, étaient en or. Ses « montres d'horloge » en or émaillé ou en argent ciselé ; ses quatorze bagues étaient ornées de diamants, d'émeraudes ou d'opales ; l'une d'elles avait pour chaton une tête de nègre...

Tandis que Jean-Baptiste trace le portrait de sa mère, c'est celui d'une jeune femme qui apparaît aux yeux de Madeleine, une jeune femme qui semble avoir légué à son fils aîné toutes ses fines qualités avant que Dieu ne la rappelle à lui au mois de mai 1632.

— Et votre père, vous n'en parlez pas ?

— Mon père, tout au contraire de ma mère, est fort négligent et même désordonné. Il s'intéresse peu à sa personne. Il travaille. Les affaires sont prospères. C'est surtout ce qui importe. Mon père est avare, mais il sait, à l'occasion, être généreux et généreux avec délicatesse. Il est discret. Il aime ses enfants mais il les aime en silence et presque de loin. Il se prénomme Jean, comme son père et comme son grand-père. On m'avait d'ailleurs baptisé Jean. Je ne sais pourquoi, ni quand ni comment, Jean est devenu Jean-Baptiste. Ma grand-mère Agnès Mazuel était fille et sœur de violons du roi.

— Et d'où venez-vous, Jean-Baptiste Poquelin ?

— De la grand-ville, pour vous servir. J'y suis né à l'aube de cette année 1622, sur la paroisse Saint-Eustache, au coin de la rue Saint-Honoré et de la rue des Vieilles Etuves, au-dessus d'une boutique à l'enseigne du pavillon des singes, non loin de l'Hôtel de Bourgogne où mon grand-père Cressé devait me mener dès que je fus en âge de comprendre et peut-être même un peu avant, tant sa passion pour le théâtre était profonde. J'ai reçu le 15 janvier 1622 le sacrement du baptême et c'est à cette date que l'on célèbre mon anniversaire. Mon éducation après la mort de ma mère avait été un peu négligée, à peine savais-je mon rudiment par cœur. Aussi, mon cher grand-père Cressé obtint-il de mon père, dès son deuxième veuvage, que l'on me mît au collège de Clermont. Une des principales distractions de cet établissement sévère consistait, chose curieuse, à répéter et à jouer tragédies et comédies. Hélas ! ces jeux étaient réservés aux pensionnaires et l'externe que j'étais n'y participait pas. Quatre années s'écoulèrent ainsi...

Ce que Jean-Baptiste ne dit pas c'est que l'inclination qu'il a pour la poésie le fait s'appliquer à lire les poètes, qu'il les possède tous et surtout Térence. La Grange qui en témoignera plus tard ajoute : « ... Il eut l'avantage de suivre le prince de Conti dans toutes ses classes. » Est-ce à dire que le jeune Poquelin était fort en retard ou Conti, de sept ans son cadet, fort en avance ? Non pas. Conti, prince du sang, jouissait d'un régime de faveur. Il aurait pu écrire, comme Bussy-Rabutin : j'entrai en seconde que je n'avais pas douze ans et j'étais si bon philosophe qu'à treize on me jugea assez fort pour entrer de là en philosophie sans passer par la rhétorique. Le jeune prince était d'ailleurs séparé des autres élèves par une petite balustrade dorée, ce qui excluait évidemment toute idée de franche camaraderie. L'éducation donnée par les pères était profonde, sévère et efficace.

Si Jean-Baptiste ne se lie guère avec Conti en revanche il établit une amitié solide avec Chapelle et Bernier.

Au sortir de l'école, Chapelle se voit offrir par son père des leçons de l'illustre Gassendi. En bon camarade, il en fait aussitôt profiter Bernier et Poquelin auxquels se joint bientôt Cyrano de Bergerac. Un petit cénacle se forme autour du philosophe. Gassendi salue en Epicure le premier physicien de l'antiquité ; il adopte ses atomes, il fait l'apologie de sa vie et de ses mœurs. Ces audaces, bientôt, le font accuser d'impiété. Accusation terrible et qui heurte Jean-Baptiste par ce qu'elle a d'irraisonné, donc de tyrannique.

Après le séjour chez les Jésuites c'est un monde nouveau qu'il entrevoit. Par réaction peut-être — il a dix-neuf ans — il est séduit par un certain air de liberté assez neuf en cette saison. Il y puise courage, force, santé d'esprit et aussi le respect du prochain, le sentiment du droit à s'exprimer, la conviction de son droit tout court à disposer de lui-même, le sens profond de l'indépendance dans l'ordre. Les exigences de sa dignité d'homme s'imposent à lui.

La passion de Jean-Baptiste pour son nouveau maître est telle, qu'il entreprend la traduction en vers et en prose du poème de Lucrèce : *De la nature des choses*. Ce poème, au dire de Bernier, servait de bréviaire à Gassendi qui le savait par cœur.

— ... Enfin, l'an passé, en 1641, poursuit Jean-Baptiste, j'ai dû faire mon droit à Orléans. J'y ai pris le plus vite possible mes licences. Je ne suis revenu à Paris que pour repartir au service du roi et me voici. Assez parlé de moi. A mon tour de poser des questions.

— Qui êtes-vous, Madeleine Béjart ?

— Je suis comédienne. Mes parents ont eu neuf enfants. Mon frère aîné et une de mes sœurs sont comédiens, un autre de mes frères, qui a douze ans, le sera peut-être. J'ai toujours voulu être sur un théâtre. Je n'ai que vingt-quatre ans. Cette troupe est ma troupe. C'est tout.

Non ce n'est pas tout. Elle ne dit pas qui a son âme. Oh ! bien sûr, Madeleine n'est pas farouche, elle n'a pas boudé parfois des amours de rencontre, mais son cœur est au comte Esprit Remond de Modène, ancien page de Gaston d'Orléans et maintenant chambellan des affaires de Monsieur frère unique du roi. Elle est sa maîtresse depuis plus de cinq ans. Elle lui a déjà donné une fille baptisée Françoise dans des circonstances assez scandaleuses et qui font assez mesurer le caractère excessif de Modène et sa passion pour Madeleine. C'est le fils légitime du comte, âgé de dix ans seulement, qui est choisi par son père pour être le parrain de sa demi-sœur bâtarde et ceci quand la comtesse de Modène vit encore. Marie Hervé, la mère de Madeleine, n'en est pas à une complaisance près — elle le prouvera plus tard — et accepte le rôle de marraine. On ne saurait parler de liaison à propos de Madeleine Béjart et d'Esprit de Modène, mais d'amours brûlantes traversées par les orages, les ruptures et les raccommodements. Trente années plus tard, dans l'hiver de leur vie, elles auront encore assez de force, nous le verrons, pour se montrer au grand jour.

Cependant, Madeleine se tait. Jean-Baptiste pressent-il tout ce qu'elle ne dit pas ? Un silence assez lourd maintenant les sépare. Soudain Madeleine se réveille :

— Où allez-vous, Jean-Baptiste Poquelin ?

Et lui de répondre :

— Sur les pas de Madeleine Béjart.

Ce ne sont alors que conversations, badinages, protestations, baisers d'abord furtifs, déclarations... abandon. Une aventure de plus pour elle. Lui s'engage pour la vie. Tous deux se trompent et le plus fidèle n'est pas celui qu'on croit.

Elle est coquette, sûre d'elle, autoritaire, voire un rien tyrannique. Elle a l'âme sensible pourtant. Elle offre sa tendresse, son charme, sa douce supériorité, ses mœurs capricieuses mais sans détours. Lui fait don de son cœur, de son émoi et de sa pureté. Elle sait le comprendre, prendre tout, pour tout lui rendre et le garder cependant. Il lui devra beaucoup.

Hélas ! la fortune des Béjart n'est point encore liée à la fortune du roi et voici nos amants de quelques jours à la croisée des chemins. Jean-Baptiste, en larmes, jure de revoir Madeleine. Elle sourit de plaisir. Cela ne veut pas dire qu'elle le croit. Elle a tort. Il n'est pas comme les autres.

Le 27 juillet, à peine arrivé à Paris il court au cul-de-sac Thorigny où Madeleine, quelques années auparavant, a acheté une petite maison. En vain, les Béjart, quoique sur le chemin du retour, sont encore loin. N'importe, Jean-Baptiste met le temps à profit. Première tâche : convaincre son père. Est-ce à dire, comme l'a prétendu Grimerest, qu'il ne se fait comédien que pour être auprès d'une comédienne dont il est amoureux ? Et quand cela serait ? Le motif ne change ni la rigueur de la détermination ni les problèmes qu'elle pose.

Il ne suffit pas d'aimer une femme pour se trouver du talent ni surtout pour en avoir. Madeleine a été l'étincelle mais le feu qu'elle a allumé est pur.

Il brûle pour le théâtre. Jean-Baptiste ne trahit pas son amour. Il se donne à lui tout entier. Mais par son amour une passion a pris place dans son âme et dans ses jambes. Jean-Baptiste est sérieux, il ne mélange pas. Il est amoureux et il a la vocation. Comment cette vocation a-t-elle pris naissance ? On en distingue généralement trois formes. Il y a ceux qui font du théâtre par atavisme, par amour de l'art, parce qu'ils lisent subjectivement tragédies et comédies, par désir d'être un autre, par besoin d'être multiple, par nécessité d'exprimer, par envie d'enchanter, parce qu'ils ont au cours d'une représentation, à la vue de tel acteur ou de telle actrice, à l'audition de telle tirade fameuse, entendu une sorte d'appel, parce qu'ils aiment se trouver dans un théâtre, respirer la poussière des décors, se cacher derrière costumes, perruques et maquillages, parce que l'illusion fait corps avec eux. C'est ce que nous appellerons la vocation raisonnable. Il y a ceux qui se font acteurs pour se produire en public. Ils ne voient que les feux de la rampe et des projecteurs, leurs partenaires ne sont là que pour les servir, ils jouent seuls, leur but consiste à attirer et à retenir l'attention non seulement sur la scène, mais en coulisse, dans la rue, dans les salons et même chez eux s'il y a une personne, leur mère exceptée, pour les observer. Ils contemplent chacun de leurs gestes, fût-il le plus banal du monde, tout ce qui émane d'eux est important et digne d'être considéré. C'est ainsi que d'illustres comédiennes, de nos jours, se font photographier en toute simplicité, un petit tablier autour des reins, un foulard négligemment noué sur la tête et faisant cuire deux œufs sur un plat. Leçon de modestie d'abord, rôle à jouer ensuite :

voyez comme tout ce que je fais est intéressant. Uniquement préoccupés d'eux-mêmes, ces phénomènes parviennent quelquefois à transformer et à embellir étrangement leur physique tant est grand leur désir de plaire. Ils sont généralement plus acteurs que comédiens. Leur vocation peut être qualifiée d'égoïste.

Enfin il y a ceux qui font du théâtre sans savoir pourquoi. Pourris de dons, pleins de talent, paresseux, ils ne recherchent rien, ils ont confiance en eux sans une once de prétention et en même temps ils s'affichent comédiens. Il faut les supplier de jouer, les séduire ou les forcer. Leurs réactions sont imprévisibles. Ils refuseront tel rôle magnifique pour se jeter sur une « panne » dont ils tirent le meilleur parti. Ils n'ont pas de but défini et leur ambition change constamment ses perspectives. Le théâtre est en eux. C'est la vocation mystérieuse.

Il semble que notre Jean-Baptiste ait allié (une fois n'est pas coutume) deux formes de vocation, la mystérieuse, sans la paresse, et la raisonnable. Faire du théâtre ! Curieuse formule ! De nos jours un jeune homme qui veut se donner au théâtre s'adresse à un comédien connu, de préférence un sociétaire de la Comédie-Française, il le prie de l'entendre et lui demande conseil. S'il a la foi, tout lui est marque d'encouragement. Après ce premier contact, le néophyte, avant d'aborder l'enseignement officiel, fait choix d'un professeur et c'est ici que tout risque de se gâter. Il y a les bons et les mauvais, les honnêtes et les malhonnêtes. Hélas ! fascinés par l'espoir de gains fabuleux, éblouis par le mirage de la publicité, une foule de jeunes gens désœuvrés, qui n'accordent pas deux heures par semaine à leur art, courent porter leurs économies ou celles de leurs trop crédules parents à des charlatans qui ne leur promettent même pas de devenir Raimu, Jouvet ou Réjane.

Au XVIIe siècle, Perrette ne rêve pas de s'appeler Brigitte. La gloire, si elle vient, ne dépasse pas la porte Saint-Denis ou la barrière Saint-Jacques. Faire du théâtre, c'est jouer à coup sûr la honte, le discrédit et la misère à huit chances sur dix. C'est miser sur l'ignominie et se préparer une fin terrible. Le royaume des cieux, pourtant promis aux simples d'esprit, vous est fermé. Mais on est libre, on voyage, et puis... A quoi bon chercher des explications : quand on doit faire du théâtre : on fait du théâtre.

Pour Jean-Baptiste la chose est claire. Comme il n'est pas question de s'enfuir sans laisser d'adresse, il n'a qu'un problème à résoudre : convaincre son père ou à défaut l'avertir.

Jean Poquelin est surpris, il pense à son commerce, à la survivance de sa propre charge qu'il a obtenue pour son fils. Jean Poquelin a ses entrées à la Cour, il y est respecté, il s'y est élevé. L'éducation qu'il a donnée à ses enfants, et surtout à l'aîné, prouvent en faveur de sa saine ambition. Il entrevoit déjà un des gentilshommes de la Chambre lui demandant quelle profession va embrasser Jean-Baptiste. Jean Poquelin pense à son nom, c'est son devoir. De nos jours, certains parents donnent leur consentement à condition que le garçon ou la fille obtienne d'abord ses deux baccalauréats et qu'il joue dans un théâtre d'Etat. Art et sécurité. Rien de tout cela n'est possible en 1642. Le père Poquelin est chrétien, a-t-il le droit de laisser son fils perdre son âme ? C'est alors que Jean-Baptiste plaide et plaide bien. Il fait valoir que Louis XIII, roi pieux et sévère, a déclaré l'an passé dans des lettres patentes : « Nous voulons que l'exercice des comédiens qui peut divertir nos peuples de diverses occupations mauvaises, ne puisse leur être imputé à blâme, ni préjudicier à leur réputation dans le commerce public. »

Cet arrêt de 1641 revêt à nos yeux une importance considérable. Il est la seule charte octroyée aux comédiens avant leur assimilation par la Société qui ne se produira qu'à la fin du XIXe siècle. Il aura une répercussion considérable sur le recrutement des jeunes acteurs. Il libérera des âmes Il apaisera des consciences paternelles. Sans lui la fondation de l'Illustre Théâtre, sous la forme que nous allons connaître, n'eût pas été possible.

Le chapitre religieux dépassé, Jean-Baptiste parle de son art, de la vie qui s'offre à lui. Le même discours exprimé en iroquois, en lapon ou en mandchou aurait autant de chances d'être entendu. Jean Poquelin arrondit ses yeux. Jean-Baptiste continue, non plus par nécessité, il a presque oublié l'objet de cette conversation, mais par plaisir. Un jeune homme qui naît au théâtre est comme un amant avec sa première maîtresse, il en parle avec délices à n'importe qui, à tout propos et surtout hors de propos.

Plus on avance dans ce métier, plus grande est la réflexion, plus profond est le doute, et c'est une des tristesses de l'âge mûr que de ne plus pouvoir parler théâtre inconsidérément.

Convaincu ou non (on ne trouve pas trace d'une brouille), Jean Poquelin cède. Bien obligé. Qu'a-t-on jamais pu opposer à la foi ? Peut-être pense-t-il qu'il s'agit d'un feu de paille ? Ce qui pourrait le faire croire, c'est que Jean-Baptiste ne renonce pas tout de suite à la survivance de sa charge. Peut-être aussi Jean Poquelin n'aime-t-il pas son fils ?

Mais le mot est lâché, le plus difficile est fait, et notre héros sort de la maison paternelle fortifié par la vue des obstacles auxquels il n'avait peut-être pas pensé et que son éloquence lui a fait combattre au fur et à mesure qu'il les découvrait.

Et maintenant à l'ouvrage.

Les Béjart sont de retour. Jean-Baptiste loue une maison rue de Thorigny pour être plus près de sa chère Madeleine. Celle-ci a revu Modène ; réconciliation, puis nouvelle rupture. Elle attend un second enfant qui ne sera pas reconnu par le comte. Jean-Baptiste est atterré. Il connaissait les amours de Madeleine, peut-être même avait-il rencontré Modène dans le Midi, mais il espérait d'être seul, il vivait dans la pensée d'une rupture définitive. Il sent la griffe de la jalousie s'accrocher à son cœur. Il souffre et ne pense même pas à rompre. Il aime. Il n'est pas le plus fort. Il est patient. Il entoure Madeleine d'attentions et de soins et ne quitte plus la maison des Béjart. Il veut plaire et pour cela montrer de quoi il est capable. Il pourrait simplement solliciter d'entrer dans la troupe. Ce serait peu glorieux. Il aime déjà trop le théâtre, il rêve de l'ennoblir et de s'y ennoblir. Il parle en chef. Il forme sa propre troupe. Cela n'est pas douteux. La Grange est très précis lorsqu'il parle « des enfants de famille qui, *par son exemple,* s'engagèrent comme lui dans le parti de la Comédie ».

Il ne s'agit pas dans son esprit de former une compagnie comme les autres. Foin de ces tristes baladins pourris par leurs habitudes. Il veut des êtres neufs auxquels lui qui ne sait rien encore va tout apprendre. Il lutte, lève les obstacles, endort les consciences, calme les inquiétudes. Il porte en lui une force de persuasion prodigieuse. Il lui faudra toujours convaincre, plaire, séduire et convaincre encore jusqu'à l'épuisement de ses forces.

Dans les derniers mois de l'année 1642, il a déjà groupé autour de lui : Catherine des Urlis, fille d'un commis au greffe du Conseil privé du roi ; Madeleine Malingre dont le père est maître menuisier ; un clerc de procureur : Nicolas Bonnenfant ; un jeune comédien aussi : Germain Clerin et enfin les deux doyens : Denis Beys, poète et ivrogne, âgé de trente-trois ans, et Georges Pinel qui a été précepteur des petits Poquelin et auquel Jean-Baptiste a communiqué son saint zèle au moment précis où l'autre s'est chargé de le ramener vers la tapisserie. C'est en chef que notre homme vient offrir aux Béjart une place de choix et à Madeleine, particulièrement, le titre et les privilèges d'une reine ; les tractations sont longues. Le vieux Joseph et Marie Hervé, sa femme, ne connaissent que trop, par leurs enfants, les bas côtés du métier. Là encore Jean-Baptiste triomphe puisque sa troupe se complète, outre Madeleine, de sa sœur Geneviève (Mlle Hervé) et de son frère Joseph.

A tout théâtre il faut un titre (celui-ci reçoit, en toute simplicité, celui d'« Illustre ») et un protecteur ; Tristan l'Hermite qui fréquente chez les Béjart leur en déniche un dans la personne du propre frère du roi : Gaston d'Orléans. Le père de la Grande Mademoiselle permet que son illustre nom soit associé à celui de l'Illustre Théâtre. Là, d'ailleurs, se borne sa protection. Point de subsides. Il ne semble pas qu'il ait même honoré une seule fois de sa personne une représentation. Peut-être même a-t-il été jusqu'à ignorer qu'il avait accordé son patronage.

En décembre 1642, au moment où le cardinal de Richelieu meurt à l'âge de cinquante-sept ans, la troupe est enfin formée.

Que lui manque-t-il ? Un théâtre, un public et de l'argent. C'est alors que Jean-Baptiste renonce à la survivance de la charge de tapissier valet de chambre qui, de ce fait, passe à Jean, son frère cadet. Il reçoit de son père en avance d'hoirie la somme de six cent trente livres qu'il met aussitôt au service de la communauté pour la location d'une salle. En attendant d'en trouver une ou de partir pour la province on fait quelques essais peu fructueux au Tripot de la Perle qui n'est peut-être que la maison des Béjart ; en vérité c'est la grossesse de Madeleine qui retarde l'envol de la troupe. A une date indéterminée, mais qui ne peut être postérieure au début du mois de juin 1643, elle met au monde une seconde fille. L'enfant reçoit les prénoms très précieux d'Armande-Gresinde-Claire-Elisabeth et disparaît aussitôt, casée en nourrice dans quelque campagne, dans le Midi, a-t-on prétendu, chez une dame de haut rang.

Pourquoi le père a-t-il reconnu sa première fille et pas la seconde ? Il y a plusieurs raisons : le scandale provoqué par le premier baptême, la rupture avec Madeleine, le caractère du comte : fantasque, impulsif, coléreux et léger, et puis ces grands seigneurs n'y regardent pas de si près. Ils n'ont pas de comptes à rendre.

L'acte par lequel Jean-Baptiste Poquelin et ses camarades s'associent pour une entreprise théâtrale est passé le 30 juin 1643 dans la maison de Marie Hervé, veuve maintenant de Joseph Béjart. Il y est dit :

« ... qu'ils se lient ensemble pour l'exercice de la comédie, à fin de *conservation* de leur troupe sous le titre de l'Illustre Théâtre » (ce qui prouve qu'ils avaient déjà joué) — Mention y est faite d'un « accord entre... » Clerin, Poquelin et Joseph Béjart, qui doivent choisir alternativement les héros sans préjudice de la prérogative que tous les associés accordent à Madeleine Béjart de choisir le rôle qui lui plaira.

Par quel sortilège notre Jean-Baptiste a-t-il obtenu des conditions aussi favorables ? Il n'a jamais paru sur un théâtre, et voici que d'emblée il demande à jouer les héros. Ce qui surprend, ce n'est pas cette exigence, elle est naturelle à un cœur de vingt ans. Rien n'effraie à cet âge. Il n'y a là ni outrecuidance ni prétention démesurée. On veut manger le monde tout simplement. On est prêt, non pas à jouer un rôle important, mais dix, vingt, cent rôles de tous les genres et de tous les emplois ; on les jouerait en même temps et sur le même théâtre si la chose était possible. Non, ce qui étonne c'est de voir des comédiens professionnels admettre comme leur égal cet amateur.

Les acteurs sont généralement méfiants à l'égard des nouveaux venus. Dans ce métier où l'on traîne sa vie à passer des concours, le combat fatigue. L'on doute des vocations. Le débutant doit subir des épreuves, résister aux malveillances professionnelles rideau levé et rideau baissé et montrer patte blanche. S'il est reconnu pour « un du théâtre », il subit la loi commune, sinon il n'a plus qu'à plier bagage.

Jean-Baptiste n'a pas de passé, et non seulement il veut parler, mais parler en chef. Il a, bien sûr, l'appui des autres enfants de famille, amateurs comme lui. Les professionnels pensent que cela ne durera pas. Jean-Baptiste apporte un peu d'argent. Prenons-le toujours, disent-ils, nous verrons s'il est encore des nôtres à la troisième étape. Plus intelligents, peut-être sentent-ils derrière cette innocence une personnalité qui va s'imposer à eux ; peut-être réalisent-ils que les temps sont révolus, et, aussi douloureux que cela puisse être, qu'il leur faut réviser leur conception de l'art dramatique. Tout est possible, mais la souveraine main de Madeleine a tout fait. Elle est la véritable reine de la troupe, le contrat ne laisse place à aucun doute sur ce sujet. Jean-Baptiste est son favori, son protégé, son ami, son amant. Elle, en tout cas, a compris ce qu'il recèle en lui. Elle l'impose, certes, mais quelque chose lui dit qu'elle a raison de dépasser son amour. Ceux qui dans la troupe attendent d'une brouille la disgrâce de Jean-Baptiste jouent à coup sûr la déception. Madeleine pourrait ne plus l'aimer qu'elle n'en priverait pas le théâtre. Grâces lui en soient rendues.

Et c'est ainsi qu'à vingt et un ans, sans but précis, avec la foi pour drapeau, Jean-Baptiste Poquelin prend audacieusement la tête de l'Illustre Théâtre. L'aventure commence.

[illegible]

[illegible] qui dans la France [illegible]

[illegible]

[illegible] Espagne, Portugal [illegible]

[illegible]

L'AVENTURE

II

L'AVENTURE

La gloire au théâtre ne s'acquiert qu'à Paris ; mais Paris a déjà deux troupes, celle de l'Hôtel de Bourgogne, troupe royale, et celle du Marais qui grâce à Mondory et surtout à Corneille est alors très en vogue. Qu'importe, on s'accommode, comme cela se voit souvent, du jeu de paume des Métayers sis sur le fossé et proche de la porte de Nesle. Location est faite pour trois années au prix de dix-neuf cents livres tournois par un bail en date du 13 septembre 1643. Marie Hervé se porte principal prenant. Les comédiens sont tenus de payer au plus tôt 158 livres 6 sols 8 deniers. Or, six semaines auparavant le père Poquelin a prêté 160 livres à Georges Pinel. Avec une délicatesse que l'on rencontrera plus tard, et de la même manière, chez son fils, Jean Poquelin semble soutenir en secret la vocation qu'il a ouvertement combattue.

Le jeu de paume n'est pas en état de recevoir public et comédiens. On décide de mettre à profit le temps nécessaire à l'exécution des travaux et pour la première fois on s'élance sur les routes de France : direction Rouen. Pourquoi Rouen ? On aurait plaisir à penser que c'est pour connaître et honorer le grand Corneille. Il y a, en tout cas, d'autres raisons ; la proximité de Paris, une capitale riche, c'est la Saint-Michel, l'escarcelle des bourgeois et des paysans est gonflée d'or et puis la célèbre foire du Pardon ou de Saint-Romain doit débuter le 23 octobre.

Tandis qu'à Paris le palais Cardinal devient le palais Royal on joue donc dans la capitale de la Normandie. Pas longtemps. On piaffe, on s'impatiente, on veut Paris. Le 3 novembre, on donne pouvoir à un mandataire de contraindre, par voies de justice, le maître du jeu de paume, Noël Gallois, le charpentier et le menuisier, à respecter leurs engagements. Enfin on n'y tient plus, on regagne la capitale. Au retour comme à l'aller, on s'arrête maintes fois, on joue un peu partout, dans les granges, dans les salles communes, sur les places. Un soir l'on fait halte dans un des quinze villages qui, en France, ont pour nom Molière et Jean-Baptiste Poquelin, pour toujours, prend le nom d'un de ces villages. Il ne dira jamais pourquoi.

Enfin, on arrive aux portes de Paris. La salle est presque prête. Le 28 décembre Léonard Aubry s'engage à terminer le pavage devant le théâtre avant le jeudi 31 si le temps le permet. Le ciel est clément et début janvier l'Illustre Théâtre ouvre ses portes.

Charles Perrault a décrit ce qu'il pouvait être : « Des tapisseries formaient tout le décor et donnaient des entrées et des sorties aux acteurs par l'endroit où elles se rejoignaient l'une à l'autre. Ces entrées et ces sorties étaient fort incommodes et mettaient fort en désordre les coiffures des comédiens parce que, fort peu en haut, elles retombaient lourdement sur eux quand ils entraient ou quand ils sortaient. Toute la lumière consistait d'abord en quelques chandelles dans des plaques de fer blanc attachées aux tapisseries ; mais comme elles n'éclairaient les acteurs que par derrière et un peu sur les côtés, ce qui les rendait presque tout noirs, on s'avisa de faire des chandeliers avec deux lattes mises en croix, portant chacun quatre chandelles, pour mettre au devant du théâtre. La symphonie était d'une flûte et d'un tambour ou de deux violons au plus. » Telle était la scène. Figurez-vous maintenant la salle : une galerie courant de chaque côté et formant des loges où le prix des places était de dix sols, le parterre debout où l'on payait cinq sols. Les représentations avaient lieu l'après-midi, la porte était ouverte à une heure, on commençait à deux heures et l'on finissait entre quatre et cinq. Le répertoire ? Deux tragédies de Tristan (ami et protecteur de la troupe) : *La mort de Chrispe* et *La mort de Sénèque* ; une de Du Ryer : *La Scevole*. Molière, qui ne songe pas à écrire, engage un auteur, Nicolas Desfontaines, qui donnera successivement : *Perside ou la suite de l'illustre Bassa* », *Saint Alexis ou l'illustre Olympie* et plus tard : *L'illustre comédien ou le martyre de saint Genest*. On avait « l'illustre adjectif » facile à l'Illustre Théâtre.

Molière jouera un *Artaxerce* de Jean Magnon. La pièce éditée portera au-dessous du titre : « Représentée par l'Illustre Théâtre ». L'édition, c'est la gloire. Pas de recettes, hélas ! Le Boulanger de Chalussay en parlant de cette époque héroïque écrira :

... Les jours suivants n'étant ni fêtes ni dimanches,
L'argent de nos goussets ne blessa point nos hanches,
Car alors, excepté les exempts de payer,
Les parents de la troupe et quelques bateliers,
Nul animal vivant n'entra dans notre salle.

Le 17 décembre 1644, les comédiens s'engagent par écrit à employer toutes leurs recettes (lesquelles ?) à l'acquittement de leurs dettes. Celles-ci sont si nombreuses que deux jours plus tard on trouve plus expédient de dénoncer le bail. On démonte le théâtre et on le transporte au jeu de paume de la Croix noire, rue des Barres, près du pont Saint-Paul.

L'absence de spectateurs justifie le déménagement ; cependant une seconde raison renforce la première, à elle seule suffisante d'ailleurs.

L'Eglise vient de se dresser sur le chemin de Molière. Le premier heurt, s'il n'est pas le plus dramatique, est peut-être le plus tragique.

M. Olier, le disciple de saint François de Sales, l'ami de Monsieur Vincent, le fondateur de l'ordre des prêtres de Saint-Sulpice, le créateur des séminaires d'où sortiront les missionnaires évangélisateurs du Canada, celui que l'assemblée du clergé de France qualifiera de prêtre éminent, gloire et ornement unique du clergé français, M. Olier uniquement préoccupé de la gloire de Dieu et de prêcher d'exemple la charité aux hommes, M. Olier n'a qu'un défaut : il n'aime pas le théâtre. Le jeu de paume des Métayers est sur sa paroisse : il en chasse ses occupants et les poursuit même sur les paroisses voisines. Un biographe de l'abbé Olier a prétendu que si Molière n'est rentré à Paris qu'en 1658 c'est qu'il a attendu la mort de son persécuteur, laquelle survint en 1657.

C'est peu probable. La fatalité veut que ce soit un saint qui cause à Molière sa première blessure sur le plan professionnel. La jeunesse supporte mal l'injustice. Ce tragique malentendu tiendra Molière en éveil, l'épiderme à vif dès qu'il s'agira, non pas de religion, mais de certains religieux. C'est sous ces mauvais auspices que l'Illustre Théâtre ouvre sa deuxième salle en janvier 1645. Molière, comme toujours, s'est rapproché de son lieu de travail, il loge maintenant chez un mercier au coin de la rue des Jardins Saint-Paul.

Dès les premières représentations, c'est le désastre, pas un spectateur, rien que des créanciers. A bout de patience, un marchand de chandelles, nommé Fausser, fait arrêter Molière qui, conduit au Grand Châtelet, demande le 2 août sa mise en liberté provisoire pour trois mois. S'il l'obtient, c'est pour peu de temps car d'autres fournisseurs : Pommier et Dubourg, exigent son maintien en prison. Le 4 août, le jeune chef de troupe est mis en liberté grâce à la caution donnée, ô miracle, par un de ses créanciers, le paveur des Métayers, le bon Léonard Aubry.

Le comte de Modène tente un moment de venir en aide aux camarades de sa chère Madeleine. Gentilhomme d'Henri de Lorraine, duc de Guise, il implore la généreuse protection de son maître. Celui-ci offre des habits de cour à l'Illustre Théâtre. Une pièce de vers éditée en 1646 chez Toussaint du Bray l'en remercie en ces termes :

La Béjart, Beys et Molière
Brillants de pareille lumière,
N'en paraissent plus orgueilleux
Et depuis cette gloire extrême

Je n'ose plus m'approcher d'eux
Si ta rare bonté ne me pare de même.

C'est la première fois que Molière voit son nom imprimé. Tout ceci, malheureusement, ne nourrit pas une troupe dont le moral est assez ébranlé. Les comédiens, faibles, versatiles, véritables enfants qu'il faut traiter avec tendresse et fermeté, sont toujours prêts à proclamer leur révolte en groupe et leur fidélité en particulier. Cinq des premiers associés : Denis Beys, Bonnenfant, Catherine des Urlis et l'auteur Nicolas Desfontaines ont déjà abandonné. Après l'épisode du Grand Châtelet on ne trouve plus trace de la protection de Son Altesse Royale. Les rats quittent le navire. Plus de théâtre, plus d'argent, peu de comédiens. La situation est une des plus dramatiques que Molière ait connue. Elle durera plus de six mois. C'est long six mois, lorsqu'on a vingt ans et qu'on a déjà dirigé deux théâtres. Peut-être joue-t-on de temps à autre, ici ou là. Il n'en reste pas trace.

Il faut se résoudre à abandonner Paris. Pour aller où ? Ah ! si au moins on avait un protecteur ! Ce personnage indispensable sert à s'approcher de la Cour et à assurer sa représentation auprès du peuple ; on peut, éventuellement, en tirer quelque subside.

En février 1646, Bertrand de Nogaret, duc d'Epernon, se trouve à Paris. Jean Magnon, dont Molière a joué la première pièce, plaide la cause de l'Illustre Théâtre, dédie au duc sa nouvelle tragédie *Josaphat* et lui fait du même coup accepter ses amis. D'Epernon a bien déjà près de lui quelques acteurs dirigés par un auteur, Du Fresne ; qu'importe, il leur adjoint, d'autorité, les débris de l'Illustre Théâtre qui perd son titre dans l'opération. L'entente se fait d'ailleurs très cordiale et l'on s'unit sous le nom de « Troupe du duc d'Epernon ».

L'on joue à Agen, d'abord — le duc est gouverneur de la Guyenne — puis, dans les environs, dans la province, et même hors la province.

Soumis au bon plaisir du duc, nourris, entretenus par lui, les comédiens ne donnent, au fond, que peu de représentations pour lui, d'où le « farniente », la paresse, la monotonie, voire l'engourdissement. Comment Molière a-t-il pu résister à douze années passées dans une pareille atmosphère ?

L'écriture le sauvera sans doute, mais n'est-il pas déconcertant ce jeune homme de vingt-quatre ans qui va méditer encore pendant neuf années avant de se décider à prendre la plume ?

Pour l'heure, la troupe qui échappe au pire est établie.

Magnon, dans sa dédicace de *Josaphat,* exprime sa reconnaissance au duc dans des termes assez saisissants : « Cette protection et ce secours, Monseigneur, que vous avez donnés à la plus malheureuse et à l'une des plus méritantes comédiennes de France, n'est pas la moindre action de votre vie. Vous avez tiré cette infortunée d'un précipice où son mérite l'avait jetée et vous avez remis sur le théâtre un des beaux personnages qu'il ait jamais portés. »

Ainsi la situation de Madeleine Béjart motivait des mots aussi humiliants. Certes, elle touchait le fond de la misère ; elle était prête à abandonner le théâtre ; la troupe était ruinée et son chef avait goûté de la prison, mais la mort de la petite Françoise qui dut survenir à cette époque et la fuite du comte de Modène furent avant tout pour cette jolie rousse de vingt-huit ans les plus cruelles épreuves. Madeleine, en dépit de la présence et de l'amour de Molière, était bien près du désespoir.

Grâce à Magnon et au duc d'Epernon, la voilà distraite et régénérée par son métier ; les années vont passer ainsi, doucement, en attendant la prochaine grande crise. Pour le moment on joue. Nul jusqu'ici n'a pu reconstituer l'itinéraire exact de la troupe pendant cette période. En mai 1647, elle est à Agen, en août et en septembre à Albi, à Carcassonne en octobre. On la retrouve à Nantes en avril 1648, à Fontenay-le-Comte en juin, puis à Poitiers et à Limoges.

A Paris, c'est la Fronde. En Italie, M. de Modène est jeté en prison, sous l'accusation d'espionnage au profit de don Juan d'Autriche ; la guerre de Trente Ans se termine ; l'Alsace est rattachée à la France.

Molière va et vient entre Guyenne et Languedoc, deux provinces particulièrement agitées. Il subit les caprices des recettes, ceux de Madeleine, des comédiens et de la politique. Cela dure toute l'année 1649. La vie est bien différente de celle de nos tournées actuelles. Fastueuses ou misérables les troupes sillonnent maintenant la France et le monde sous le signe de la vitesse. Les comédiens doivent faire face à tout, représenter la mode, parler de la culture, s'ennuyer à des thés mondains, paraître, ivres de fatigue, à des réceptions quelquefois charmantes, souvent guindées, jouer entre-temps la comédie ou la tragédie, répondre aux journalistes, se produire dans des studios de télévision et reprendre l'avion, le train ou le bateau à des heures inconfortables. A l'époque du *Roman Co-*

mique, les acteurs jouent pour vivre, il n'est pas nécessaire d'amasser, le bon air est partout, le confort ne prend pas des voies coûteuses et compliquées, le pas des chevaux décide du nombre de lieues à faire dans la journée. Il n'y a point d'horaire, point de calendrier. Il faut, bien sûr, être dans telle ville à telle date afin d'y rencontrer la foire ou la Session des Etats, mais nul itinéraire n'est imposé ; on reste huit jours dans un village accueillant où l'on ne devait que passer la nuit. Si la recette est bonne, l'on mange mieux, si elle est mauvaise ou même nulle on mange quand même... et quelquefois aussi bien.

Avant tout l'on cherche à plaire. Cela n'a pas changé. Les comédiens sortent régénérés d'une soirée au cours de laquelle le public leur a manifesté sa compréhension, son amitié et son estime ; la recette à ce moment passe au second plan. De nos jours, cependant, si elle est nulle on ne mange pas du tout.

Ce qui n'a pas changé non plus, c'est l'atmosphère professionnelle, invisible au public. Quelle que soit la camaraderie qui règne dans une troupe, des clans se forment. La sympathie, l'intérêt, le sens de l'économie, les antipathies communes, lient rapidement entre eux certains comédiens.

Et l'on ne se quitte plus, et l'on jure que, de retour à Paris, l'on se reverra tous les jours. Chaque étape produit sa petite provision de piques, de malentendus, de susceptibilités blessées maladroitement ou trop adroitement. Le soir en scène, tout semble oublié, mais la représentation chaque fois renouvelée permet à elle seule d'alimenter, le lendemain, la conversation.

Et puis, il y a l'amour. L'ennui, l'occasion, la commodité, le romanesque forment des couples de rencontre. Cela dure une nuit, un mois, trois mois, rarement plus. Pourtant il en est qui, nés du hasard d'une tournée, ont nourri deux vies.

Au XVIIe siècle, on ne rentre pas à Paris. Il n'est point, à proprement parler, question de couples d'amoureux, mais de ménages. Les ménages s'interchangent de temps à autre. Et puis les longs séjours dans les villes ou dans les villages permettent des romans avec les dames ou les messieurs du cru. De nos jours les spectatrices sont inaccessibles. Le comédien, par la faute des procédés mécaniques (télévision, cinéma, photographie) et des excès de la publicité, a perdu son mystère, donc une partie de son charme et de son pouvoir de séduction.

Quand le théâtre est démonté, que Rodrigue a troqué son épée et son pourpoint pour un haut-de-chausses et une grosse chemise de coton, et qu'il prend par la taille, au clair de lune, une petite paysanne d'Agde ou de Nérac, il a tout de même vaincu les Maures et il s'est fait aimer de Chimène.

En janvier 1650, au moment où le prince de Conti vient de rentrer avec Condé, alors que Corneille fait jouer *Andromède,* Molière fête ses vingt-huit ans à Narbonne. Il y reste jusqu'à la fin du mois de juillet. Soudain, d'Epernon, dont l'impopularité n'a cessé de grandir, est contraint d'abandonner le gouvernement de Guyenne. Du même coup sa protection cesse de s'étendre aux comédiens, qui d'ailleurs semblent trouver avantage à cette rupture.

Leur liberté reconquise, ils songent à offrir leurs services au cardinal Mazarin qui séjourne à Libourne.

Son Eminence, quoique amie des arts, a pour le moment d'autres préoccupations.

Molière, toujours à l'affût, apprend que c'est à Pézenas que le 24 octobre aura lieu l'ouverture des Etats du Languedoc. C'est donc à Pézenas que l'on ira et l'on y restera jusqu'à la clôture en janvier 1651.

Un beau jour arrive une lettre de Jean Poquelin qui mande d'urgence son fils à Paris. Jean-Baptiste est loin de sa famille, il s'en est depuis huit ans créé une autre, il a pris des habitudes. Paris l'effraie, et puis la vie est douce près de Madeleine. Ses camarades et lui vendent l'illusion à bon compte. Il hésite une seconde, pas plus d'une seconde, car, nous l'avons dit, il est sérieux et il s'agit de reconnaître des sommes dues à son père, son honneur même y est engagé. Le bonhomme Poquelin, que l'on sait avare, n'est pas sans inquiétude au sujet de certaines dettes contractées par son fils. Molière est itinérant, difficile à joindre, il peut s'évanouir d'un instant à l'autre au fond d'une province, peut-être même passer une frontière. Sans doute des questions d'intérêt touchant le bien de Marie Cressé ou le sien propre doivent être agitées, la présence de l'aîné se révèle indispensable, on aime l'ordre dans la famille Poquelin. Jean-Baptiste ne semble pas devoir revenir jamais dans la capitale, mais la prudence commande de prendre des précautions à son égard.

Molière fait ses adieux à ses camarades, serre tendrement Madeleine dans ses bras, lui donne rendez-vous dans une province jamais explorée : le Dauphiné, et monte à cheval.

La route est longue qui mène à Paris et, tout en galopant sur les chemins du Limousin, du Berry et de l'Orléanais, notre héros dresse un bilan de son expérience. Colonne « actif » : « Il vit, près de la femme qu'il aime, la vie qu'il aime. Il fait du théâtre, il joue la comédie. » Colonne « passif » : « Rien n'a changé depuis l'effondrement de l'Illustre Théâtre. Ce sont toujours les mêmes conditions de travail, toujours Albi, Béziers, Agen ou Carcassonne. Toujours les mêmes visages, les mêmes tics d'acteurs, les mêmes jeux de scène éculés mais éternellement efficaces, la paresse de l'esprit. » Où est l'art ? Où est l'avenir ? Le verra-t-on, au soir de sa vie, laisser choir en tremblant l'épée de Don Diègue, sur des tréteaux au fond d'une grange, au coin d'une place publique ? Est-ce pour cela qu'il a quitté sa famille, abandonné le métier de ses pères, lutté, goûté de la prison ? Et cependant il est heureux. C'est beaucoup, c'est tout. Molière est philosophe, il pourrait s'en tenir là, mais il est jeune et ambitieux, et puis il n'oublie pas qu'il y a une vérité dans son métier comme dans sa vie. Quand on l'a découverte, la route est longue pour y parvenir, il y faut courage, honnêteté et patience. Mais si elle lui échappe ou s'il croit qu'elle lui échappe, à quels doutes mortels l'artiste n'est-il pas en proie. Sollicité par la facilité qui semble réussir presque à chaque instant aux autres, comme pour mieux le narguer, facilité qui, s'il s'y prostituait, ne lui rendrait rien, il titube, il espère, il attend sottement des hommes ce qu'ils ne peuvent lui donner.

Laisse ton orgueil aux portes de la grand-ville, Jean-Baptiste Poquelin, ose descendre, réfléchir, reprends-toi, le théâtre est là qui t'attend, tu as su l'aimer, tu n'as pas su le prendre, découvres-en le chemin, il est au bout de tes doigts.

Quel figure fera-t-il devant sa famille ? Le voilà

donc le grand artiste ! Quels sont ses titres ? Où est son carrosse ? Où sont ses sacs d'écus ?

Comme il arrive souvent dans la vie, les événements présentent une face différente de celle que leur prêtait par avance l'imagination.

La famille accueille cordialement le fils aîné. On règle les affaires et, puisqu'il veut partir, qu'il reparte.

Molière avant de reprendre la route s'aventure dans la capitale. Il va au Théâtre, il médite, il compare, il conclut : un métier d'art ne s'exerce qu'à Paris.

Les comédiens ? Il y en a de toutes sortes partout. Mais le public parisien ne peut être comparé à aucun autre. Que réclament les spectateurs du Languedoc ou de la Guyenne ? Une histoire triste ou gaie, mais une histoire. Plus elle est triste, plus elle est belle et plus on l'applaudit, car le public est ainsi fait, plus il rit et moins il rappelle les acteurs. Au fond il n'admire que le drame. Là au moins la difficulté de l'art est apparente. Cette innocence ne manque pas de charme et l'on aurait tort de s'en moquer.

A Paris la forme joue un rôle et l'on discute même ce que l'on ne comprend pas. Ce « quoi qu'on die » dit toujours beaucoup plus qu'il ne semble et d'un mot la gent savante tue ou lance une pièce avant qu'on sache comment cela est arrivé.

En province point de risques, à Paris tous les traquenards, mais la tentation est grande, le métier perdrait tout intérêt si le succès était éternellement assuré. Disons tout de suite que le public parisien de cette époque, même s'il se laisse aller à un enthousiasme inconsidéré ou à une mauvaise humeur trop bruyamment exprimée, garde pourtant son équilibre.

L'influence de la presse est nulle. Les spectacles ne sont pas racontés, autopsiés, mis au jour avant d'avoir paru. On laisse les acteurs répéter tranquillement. On juge sur pièces on ne fait pas de pré-critique. La gazette de Loret ou de Robinet renseigne en vers sur la chute ou sur le succès, mais en termes fleuris et toujours courtois. Cela ne change rien aux faits, mais les mœurs s'en portent mieux. Dire que les « Précieuses » et les gens plus ou moins de métier qui côtoyent auteurs et acteurs ne sont pas prévenus, serait mentir. Il leur arrive, bien sûr, comme aujourd'hui, de faire « Ah ! » devant que les chandelles soient allumées. Cette coterie existera toujours, aura ses importants. Mais le public, le vrai, celui qui sait distinguer Mairet de Rotrou, et du Ryer de Corneille, celui-là est plus instruit qu'on ne le pense généralement. D'abord il est familiarisé avec l'histoire ancienne, il connaît par cœur les degrés de parenté dans la famille des Atrides, faute de quoi il lui serait presque impossible de suivre le déroulement fatal de l'action. Ensuite il se passionne pour la langue, l'écriture le touche au plus haut point. Depuis que Malherbe a entrepris sa fameuse réforme, le théâtre cherche chaque jour à apporter sa pierre à l'édifice.

Corneille s'en explique dans sa préface de l'édition de 1664. Il ne s'agit pas pour les auteurs de donner de nouvelles lois dramatiques, il leur faut encore corriger, améliorer et moderniser la langue française. Noble programme !

Le public sent tout cela, il a l'impression d'une nouvelle Renaissance, le sentiment, d'ailleurs réel, d'asseoir pour plusieurs siècles une langue admirable. Le spectateur du XVIIe siècle ne subit pas d'influence extérieure. Les Italiens s'attachent plus au jeu et aux thèmes qu'à la forme. Bref, intelligent ou sot, simple ou savant, de bonne humeur ou mal luné, le public est sain.

Les chemins de fer ont gâté tout cela. L'art dramatique français, après avoir subi l'invasion quelquefois talentueuse des rêveurs d'Europe Centrale ou des penseurs du Grand Nord, reste maintenant comme pétrifié devant la psychologie simpliste de certains dramaturges anglo-saxons. Ballotté entre quarante théories, qui n'ont vu le jour que dans le dessein d'éblouir par leur obscurité, le public actuel confond grandeur et difformité, profondeur et abîme. Le lettrisme et autres balivernes l'ont amené à admettre de ne pas comprendre. Non seulement il s'y résigne, mais il aime à en tirer gloire. « Evidemment c'est ardu, mais il y a quelque chose qui... quelque chose que... »

Des animateurs habiles l'entretiennent dans cet état ravissant d'intellectualisme subtil. L'un dit : « Ne pensez pas. Je pense pour vous. Ce que je joue est très au-dessus de vous, si vous vous en approchez même de très loin, il faudra vous estimer heureux. Si vous ne comprenez pas, retournez-vous-en tout de même satisfaits... et revenez, la lumière risque un jour de vous effleurer. » L'autre au contraire offre à ses spectateurs les œuvres les plus simples du monde, en leur disant : « Comprenez-vous bien toute la pensée de l'auteur ? Voyez comme c'est obscur ! Voyez comme c'est abscons : Seule une intelligence exceptionnelle peut assimiler pareil spectacle. » Chacun se compte comme exceptionnel et tous reviennent « penser » à la première occasion.

La confusion des styles et des genres, l'absence d'esprit formel, les compromissions de certains auteurs, la course à la mode, qu'il faut de nos jours, non plus suivre, mais précéder, si l'on veut arriver à temps, le désir d'épater son prochain, le goût de ce qui semble osé ou hardi et qui n'est souvent que naïf et niais, la nécessité de faire du nouveau à tout prix, le recours à l'imposture pour faire passer comme inédit une idée, un jeu, un style vieux de trente ans, tout cela conduit un public qui n'a plus assez de temps à donner à la méditation, à ne plus se raccrocher à des critères et à perdre de vue la vérité. Or il n'y a de vérité que dans la pensée claire, dans la construction solide des personnages, dans la stricte observance des règles d'Aristote et dans la rigueur de l'exécution. Le reste n'est que fumées et fumistes.

Cette digression a permis à Molière de boucler ses bagages et de prendre cette fois la route de Bourgogne. Evidemment c'est à Paris qu'il faudrait revenir. Comment faire ? Pas question de recommencer les imprudences de l'Illustre Théâtre. Un protecteur pourrait ouvrir certaines portes, mais il le faudrait bien puissant. L'horizon est décidément bouché. La vie errante dans les provinces du Midi paraît seule promise à son avenir.

Il y aurait pourtant un moyen... mais il est si ambitieux. Pourquoi n'essaierait-il pas ? Dans la campagne on ne risque pas grand-chose. Il pourrait là faire ses premières armes, s'entraîner, bâtir, détruire et rebâtir tout à son aise, oui, l'écriture seule est capable de le ramener aux portes de la capitale et de l'y faire voir sous un jour nouveau. Et tout en trottant il construit dans sa tête quelque petite scène empruntée sans qu'il s'en rende compte à une comédie déjà vue. Mais les personnages s'animent, les mots surgissent, vite oubliés. Il faudrait tout noter, mais quand on est acteur on ne note rien et l'on ne devient vraiment auteur, bon ou mauvais, que le jour où l'on décide d'en faire son métier. Cependant le grain est semé et quand Molière rejoint ses camarades, il a, comme on dit, une petite idée derrière la tête. Après un court séjour à Vienne puis à Lyon, la troupe redescend le Rhône en juillet pour les Etats de Carcassonne.

L'an 1652 reste dans l'obscurité ; Conti, sa paix faite avec le roi est à Agen et Molière, fin décembre, remonte vers Lyon. C'est dans cette ville qu'il signe au contrat de mariage d'un de ses comédiens avec Marquise Thérèse de Gorla qui va s'immortaliser sous le nom de son mari : du Parc. Deux autres comédiens enlevés également à une troupe rivale : Edme Villequin, dit de Brie, et la de Brie, sa femme, s'enrôlent aux côtés de Molière. La présence des deux femmes échauffe très vite l'atmosphère. La du Parc, qui va bientôt enflammer le cœur du vieux Corneille et jeter un charme à Racine, sourit seulement à son chef de troupe.

C'est à cette époque que Molière prend la plume pour la première fois. Les spectacles se composent principalement de tragédies et se terminent par de toutes petites pièces, des saynètes plutôt, bâties sur de vieux thèmes italiens ou espagnols, ou encore empruntées aux farces et soties du moyen âge. Ces minces comédies ne sont même pas écrites. Une tradition orale les fait se perpétuer avec leurs jeux de scène. Les comédiens, généralement dépourvus d'imagination, y ajoutent des mots de leur cru et pas des meilleurs. De mots en mots, la trivialité et la grossièreté règnent en maîtresses sur ces canevas.

Molière, à la fois frappé par l'excellence des sujets et par la faiblesse de l'expression et de l'exécution, éprouve la nécessité de retrouver les limites de la comédie et de les définir à ses camarades. Avec beaucoup de modestie et comme par goût de l'essai, il récrit un petit nombre de ces saynètes. Bien sûr, il garde certaines bonnes répliques et il sacrifie au genre. Dans les deux petites pièces publiées par Viollet-le-Duc en 1819 : *La Jalousie du Barbouillé* et *Le Médecin volant* — les seules qui ont été conservées — il laisse paraître les concessions qu'il a dû faire au « style ». Ce Sganarelle qui avale l'urine de l'égrotante et qui, après boire, ordonne : « Qu'on la fasse encore pisser » porte la marque de son temps. Cela sent le règne du bon roi Henri. Le mérite de Molière, en cette affaire, sera tout entier dans cette écriture, vive, gaie, comique surtout et avant tout, pleine de naïfs artifices et en fin de compte assez rigoureuse pour le genre. Par sa plume la comédie devient plus drôle, plus nerveuse, elle se fixe et en contraignant l'acteur elle lui donne paradoxalement plus de liberté.

Mises à part les deux petites comédies citées plus haut, seuls des titres sont restés : *Le Docteur amoureux, Les trois docteurs rivaux, Gros-René écolier, Gorgibus dans le sac, Le Fagoteux, La Casaque et le grand benêt de fils.*

Ces pièces révèlent des procédés comiques issus de la diction des acteurs. Au XVIIe siècle le français se parle très lentement. Le rythme de la vie en s'accélérant a influencé grandement l'élocution de nos contemporains. L'on s'exprime de plus en plus vite et de moins en moins clairement. L'articulation disparaît. La finale s'affaiblit dangereusement. Notre langage se fait de jour en jour plus inaudible, plus difficile à comprendre non seulement aux étrangers mais à nos compatriotes eux-mêmes surtout de province à province.

Parler avec volubilité est au siècle de Louis XIV un véritable exploit. Le comédien qui y parvient s'attire les applaudissements qui vont aujourd'hui à un prodigieux jongleur. Ceci explique les interminables et burlesques tirades du Docteur de *La Jalousie du Barbouillé,* et le rocambolesque et quasi incompréhensible récit de Mascarille dans *L'Etourdi.*

Molière prend goût à ce nouveau travail. Il y découvre un monde nouveau, un plaisir subtil et inquiétant. Après avoir lutté avec le public et ses comédiens, le voici seul devant une page blanche. Certes l'imagination qui s'échauffe, la fièvre qui s'installe, le mot heureux qui arrive presque par hasard, les personnages qui ne disent que ce qu'ils veulent dire, qui refusent de répondre ou même de paraître, les impasses, les débouchés, les déserts, le franchissement des limites du sujet, le ton, le mouvement, la situation, son évolution et la recherche de l'imprévisible, tout cela est bien exaltant aussi longtemps qu'on ne le confie qu'au papier.

Mais à l'inverse du romancier qui livre son roman à l'individu, qui jugera du succès au tirage, mais qui ne pourra jamais pénétrer dans l'âme du lecteur au moment précis où celui-ci médite sur son livre, l'auteur dramatique est astreint à plusieurs vérifications qui n'ont d'ailleurs pas toujours le même résultat.

L'alchimie du rire est presque inexplicable. Tel effet noté sur le papier, vérifié chaque jour sur les comédiens qui répètent la pièce pendant plus d'un mois, fait long feu devant le public.

L'auteur se trouve ainsi mis à nu par un minutieux contrôle de son travail. Tout va s'envoler au fil des sons. Impossible de revenir en arrière, de relire la page lue distraitement. Une intonation fausse, un tousseur maladroit ou malintentionné, peuvent en un centième de seconde supprimer un effet comique.

L'auteur dramatique se livre tout entier aux comédiens. Il attend tout d'eux. Ils peuvent le servir ou le desservir quelquefois à leur insu et en dépit des meilleures ou des pires intentions. Si l'on veut vraiment toucher le fond du théâtre, il faut prendre la plume. Le vrai courage est là.

Molière n'en avait pas manqué dans son métier et dans sa vie. Mais une certaine force lui faisait défaut. Audacieux et rêveur peut-être n'était-il pas encore un homme. Pourquoi a-t-il attendu si longtemps, pourquoi va-t-il s'engager si prudemment ? Tout cela s'explique très bien. Il aimait le Théâtre, le Théâtre le nourrissait. Après avoir cueilli les fruits les plus divers et s'en être rassasié, il aperçoit, au fond du verger un arbre dont il ne distingue pas la cime, il hésite, craintif, intimidé, il retourne à ses travaux et à ses plaisirs coutumiers, puis un jour vient, qu'il ne pouvait ni prévoir ni souhaiter, où il décide de tenter l'ascension.

Là était le vrai courage. Il fallait commencer. Maintenant qu'il s'est élevé de quelques pouces, ses angoisses se font plus grandes, mais la vérité est au sommet et c'est vers elle qu'il faut tendre.

A partir de ce moment, Molière sent qu'il porte en lui l'œuvre à faire et qu'il faudra bien qu'il la fasse en dépit des envieux, des sots, des bavards, et des méchants.

Cependant il cherche un sujet. Comme il arrive souvent aux auteurs les plus originaux, c'est chez un confrère qu'il prend sa première idée. La chose est compréhensible ; l'intention modeste. N'osant attaquer de front à la fois la forme et le fond, il choisit une construction solide et il lui donne ses propres couleurs.

Notre auteur, on peut maintenant lui donner ce titre, assiste à Lyon en 1653 à une représentation de *L'Innavertito,* comédie de Nicolas Barbieri, dit Beltrame, un des célèbres acteurs de la troupe de Gelosi. Molière y voit tout de suite une succession de situations simples telles qu'elles se présentaient dans les petites comédies qu'il reconstruisait. Il ne se contente pas d'emprunter à Beltrame le principal, il puise à droite et à gauche dans *Le Parasite,* de Tristan, dans Cervantes, dans Luigi Groto, dans Plaute, dans Térence et dans bien d'autres. *L'Innavertito* deviendra *L'Etourdi ou Les Contretemps.* Au cours de son séjour à Lyon Molière joue *Andromède.* Un précieux exemplaire de la pièce renferme écrite de sa main la liste des acteurs et parmi ceux-ci une certaine Mlle Menou que nous retrouverons bientôt.

Cette même année, le prince de Conti rentre en scène. Ayant quitté Bordeaux quelques jours après le traité signé par lui dans cette ville le 24 juillet 1653, il vient s'établir dans son château de La Grange des Prés aux environs de Pézenas.

Conti a pour maîtresse Mme de Calvimont, femme d'un conseiller au parlement de Bordeaux. L'abbé de Cosnac, premier gentilhomme du prince, autrement dit son aumônier, raconte que la première fois qu'il la vit « elle était fort parée et dit d'abord trois ou quatre choses qui lui firent douter laquelle des deux était la plus surprenante : sa beauté ou sa sottise ».

Après quelques jours d'hésitation Conti fait venir sa maîtresse. Mais laissons parler Cosnac : « ... Aussitôt que Mme de Calvimont fut logée dans La Grange, elle proposa d'envoyer chercher des comédiens. Comme j'avais l'argent des menus plaisirs du prince, il me donna ce soin. J'appris que la troupe de Molière et de la Béjart était en Languedoc ; je leur mandai qu'ils vinssent à la Grange. Pendant que cette troupe se disposait à venir sur mes ordres, il en arriva une autre à Pézenas qui était celle de Cormier.

« L'impatience naturelle de M. le prince de Conti et les présents que fit cette dernière troupe à Mme de Calvimont engagèrent à la retenir. Lorsque je voulus représenter au prince que je m'étais engagé à Molière sur ses ordres, il me répondit qu'il s'était depuis lui-même engagé à la troupe de Cormier, et qu'il était plus juste que je manquasse à ma parole que lui à la sienne. Cependant Molière arriva et ayant demandé qu'on lui payât au moins les frais qu'on lui avait fait faire pour venir, je ne pus jamais l'obtenir quoiqu'il y eût beaucoup de justice. Ce mauvais procédé me touchant de dépit, je résolus de les faire monter sur le théâtre à Pézenas et de leur donner mille écus de mon argent plutôt que de leur manquer de parole. Cette troupe ne réussit pas dans sa première représentation au gré de Mme de Calvimont, ni, par conséquent au gré de M. le prince de Conti, quoique au jugement de tout le reste des auditeurs, elle surpassait infiniment la troupe de Cormier, soit par la beauté des acteurs, soit par la magnificence des habits. Peu de jours après ils représentèrent encore et Sarrasin, à force de prôner leurs louanges, fit avouer à M. le prince de Conti qu'il fallait retenir la troupe de Molière à l'exclusion de celle de Cormier. Il les avait servis et soutenus dans le commencement à cause de moi ; mais alors, étant devenu amoureux de la du Parc, il songea à se servir lui-même. Il gagna Mme de Calvimont et non seulement il fit congédier la troupe de Cormier, mais il fit donner pension à celle de Molière ! »

Ce récit suscite trois réflexions : la première, qu'il fallait que Cosnac, au contraire de ce qu'a dit Sainte-Beuve, prît beaucoup d'intérêt aux plaisirs de la comédie pour jeter dans la balance à la fois son crédit et son argent ; ou bien, s'il était tout à fait désintéressé — ce qu'on a peine à croire — qu'il faudrait trouver un peu bizarre cette sympathie qu'il témoigne et ne cessera de témoigner à Molière ; la deuxième réflexion c'est que sans le pouvoir de charme de la du Parc, l'entreprise eût échoué et qu'on frémit à l'idée que Sarrasin eût pu tomber amoureux d'une actrice de la troupe rivale ; la troisième, enfin, nous amène à constater la patience, le talent, la diplomatie, l'opiniâtreté et le sens politique tout à fait surprenants dépensés par Molière et Madeleine Béjart dans une situation humiliante et quasi désespérée.

En décembre de cette année 1653, le prince de Conti part pour Paris. Deux des nièces de Mazarin sont encore disponibles. Conti qui ne veut, dit-il, épouser que le cardinal, reconnaît cependant que sa future femme, Anne Martinozzi, est belle et bien faite.

Cosnac, pendant ce temps, est chargé par le très

courageux prince de signifier son congé à Mme de Calvimont. Conti avait ordonné de lui bailler six cents pistoles, mais Cosnac prend sur lui d'aller décemment jusqu'à mille qui sont acceptées sans trop de désespoir.

C'est en décembre 1654, après une année passée en pleine liberté, que Molière danse devant le prince et la nouvelle princesse, dans ce fameux ballet des Incompatibles qui sera repris l'année suivante à Montpellier. On y fait dire à notre auteur qui représente successivement un poète et une harengère :

Je fais d'aussi beaux vers que ceux que je récite,
Et souvent leur style m'excite.

C'est une preuve supplémentaire de la nouvelle vocation de Molière et de l'origine de cette vocation.

Le 5 décembre 1654 Sarrasin meurt. Empoisonné par le prince ou sur son ordre, diront certains. Les preuves manquent mais cette mort subite qui coïncide avec le retour de Conti est demeurée inexpliquée. Le prince n'affiche aucune douleur, même feinte et, le soir même, assez scandaleusement, il fait jouer chez lui la comédie. Sarrasin, avant de mourir, écrit une lettre à Ménage et une à Mlle de Scudéry, Conti les retient.

Molière qui perd un soutien, assez peu sûr il est vrai, vient d'en voir partir un autre. L'abbé de Cosnac, avec l'appui du prince, vient d'être nommé évêque de Valence et de Die.

Molière retrouvera bientôt ce curieux homme. Cosnac est laid, ambitieux à en perdre la tête, impulsif, coléreux et rusé. On n'ose pas dire qu'il est le « chevalier de Lorraine » du prince et cependant, l'empire qu'il a sur Conti, sa jalousie au moment du mariage, leurs brouilles, leurs caprices mutuels, leurs réconciliations, les reproches qu'il ose adresser au prince quand celui-ci accueille un nouveau venu, ses bouderies qui ne cessent que lorsque Conti fait le premier pas, ses tendres élans et l'excès de sa susceptibilité pourraient le donner à penser. Cosnac ne vit et ne respire que pour la politique. C'est un jeu, un besoin, un plaisir et une passion. Mais les journées sont longues à Pézenas. Les conversations s'imposent. Elles se prolongent tard dans la nuit. Un mot en entraîne un autre et sans cesser d'être prudent on en arrive à penser tout haut. Cosnac a vingt-sept ans, Molière trente-deux. Il ne saurait être question d'amitié — Cosnac n'aime personne — mais ces deux êtres subtils et intelligents prennent plaisir à être ensemble. Et puis le prince de Conti est un assez joli sujet de conversation.

La troupe joue peu souvent. D'Assoucy qui s'est joint un moment à elle a chanté la vie heureuse du château de La Grange :

En cette douce compagnie
Que je repaissais d'harmonie
Au milieu de sept ou huit plats
Exempt de soin et d'embarras
Je passais doucement la vie.
Jamais plus gueux ne fut plus gras.

Plus tard, dans ses *Aventures,* il contera : « Estant commandez pour aller aux Etats, les comédiens me menèrent avec eux à Pézenas où je ne saurais dire combien de grâces je receus ensuite de toute la maison. On dit que le meilleur frère est las, au bout d'un mois, de donner à manger à son frère ; mais ceux-cy plus généreux que tous les frères qu'on puisse avoir, ne se lassèrent pas de me voir à leur table tout un hiver... Quoique je fusse chez eux, je pouvais bien dire que j'étais chez moi. Je ne vis jamais tant de bonté, tant de franchise, ny tant d'honnêteté que parmi ces gens-là, bien dignes de représenter réellement dans le monde les personnages des Princes qu'ils représentent tous les jours sur le théâtre. »

C'est à Béziers, au cours d'un de ces joyeux repas que Molière improvise une chanson que d'Assoucy met en musique.

« Vous Monsieur Molière — rappellera plus tard le musicien vagabond — vous qui fîtes le premier couplet de cette chanson, oseriez-vous bien dire comme elle fut exécutée et l'honneur que votre muse et la mienne reçurent en même temps ? »

Voici ce couplet fameux :

Loin de moi, loin de moi, tristesse !
Sanglots, larmes, soupirs :
Je revois la princesse
Qui fait tous mes désirs.
O célestes plaisirs !
Doux transports d'allégresse !
Viens Mort, quand tu voudras,
Me donner le trépas :
J'ai revu ma princesse !

D'Assoucy aurait peut-être suivi éternellement ses amis sans une mauvaise affaire qui l'oblige à lever le pied brusquement et à disparaître avec ses deux pages.

Arrivé dans la ville voisine il écrit à Molière :

« Monsieur, je vous demande pardon de n'avoir pas pris congé de vous. M. Fessard, le plus froid en l'art d'obliger qu'homme qui soit au monde, me fit partir avec trop de précipitation pour m'acquitter de ce devoir. »

Notre auteur, lui, revient régulièrement au château de la Grange.

Conti, qui a d'abord revu sans plaisir son ancien condisciple du collège de Clermont, semble ne plus pouvoir se passer de lui. La place de son secrétaire est offerte à Molière qui la refuse respectueusement. Le sort de Sarrasin n'est pas encourageant.

Jusqu'en 1655, le prince ne se contente pas de voir les représentations du Théâtre, il confère souvent avec le chef de la troupe, lisant avec lui les plus beaux endroits et les plus délicates des comédies tant anciennes que modernes.

Molière, pendant cette période, écrit *L'Etourdi,* la plus longue de ses pièces. En vérité, cette œuvre est composée de plusieurs petites comédies qui ont pu très bien au cours d'un travail préparatoire fournir chacune un tout et être essayées par Molière sur son public habituel. La manière assez naïve de les lier l'une à l'autre, les explications trop abondantes de l'auteur dans les scènes dites de préparation, les chevilles trop visibles permettent de le croire.

Le prince et la princesse quittent Pézenas dans les premiers jours d'avril et Molière profite de sa liberté pour filer sur Lyon et y créer sa pièce. Il a hâte de voir les réactions du public lyonnais, de tout temps très féru de théâtre. Il se souvient des éclats de rire provoqués par *L'Innavertito* pourtant joué en italien. Quels effets produiront ses alexandrins ? Et en produiront-ils ? Le 29 avril 1655 : il est fixé. C'est un succès.

Sa joie est double. Les effets ne sont pas du tout les mêmes que ceux dont il avait été témoin à la représentation de *L'Innavertito*. Le public rit des situations, mais il subit, cela n'est pas douteux, le charme d'une langue neuve, libre, légère et grasse à la fois, le comique se trouve déplacé et anobli par le mot. Dans cet imbroglio invraisemblable et difficile à suivre, Molière a jeté des tirades à effet dont les montées semblent dues au plus vieux et au plus habile faiseur de comédie. Chose curieuse, c'est au moment où il est le moins en possession de son art qu'il le rend plus visible. Il y a, dans *L'Etourdi,* des vers immortels, des facilités, mais aussi une insolence généreuse dans le comique dont s'inspireront plus tard Hugo pour Don César et Rostand pour Cyrano. Les deux derniers vers de la pièce :

... *Allons donc et que les cieux prospères*
Nous donnent des enfants dont nous soyons les pères.

sont sublimes d'insouciance saugrenue. Ils font rire dans l'âme. En dépit des apparences *L'Etourdi,* et c'est tout à la gloire de Molière débutant, est d'abord une pièce de diseurs.

Ayant marqué un point précieux, notre auteur descend le Rhône et rejoue sa comédie, la première, à Orange, à Agen, à Salon, Aix, Arles et Marseille. Hélas ! ce voyage si bien commencé est attristé par trois mauvaises nouvelles : la mort de son premier protecteur, Tristan l'Hermite, qui avait présidé à l'envol de l'Illustre Théâtre ; celle de Cyrano de Bergerac, et un peu plus tard, celle du philosophe Gassendi.

Et c'est le retour à Pézenas — il le faut bien — le prince et la princesse sont revenus et la troupe est à leur service. Molière craint Conti. Qui ne le craindrait ? Il est violent, faux, lâche et déloyal. Intelligent pourtant, et cultivé, mais son tempérament ne le porte qu'aux excès. « La méchanceté, écrira plus tard le cardinal de Retz, inondait ses autres qualités qui n'étaient d'ailleurs que médiocres. »

« C'est le plus grand scélérat que la terre ait jamais porté, un enragé, un chien, un diable, un turc, un hérétique, qui ne croit ni ciel, ni enfer, ni loup-garou, qui passe cette vie en véritable bête brute, un pourceau d'Epicure, un vrai Sardanapale qui ferme l'oreille à toutes les remontrances et traite de billevesée tout ce que nous croyons. Dame, demoiselle bourgeoise, paysanne, il ne trouve rien de trop chaud ni de trop froid pour lui. Suffit qu'il faut que le courroux du Ciel l'accable quelque jour, qu'il ne vaudrait bien mieux être au diable que d'être à lui et qu'il me fait voir tant d'horreurs, que je souhaiterais qu'il fût déjà je ne sais où. Mais un grand seigneur méchant homme est une terrible chose ; il faut que je lui sois fidèle en dépit que j'en aie : la crainte en moi fait l'office de zèle, bride mes sentiments et me réduit d'applaudir bien souvent à ce que mon âme déteste. »

L'on a reconnu la description de Dom Juan faite par Sganarelle. Nous verrons plus tard que le portrait n'est pas chargé et que les situations sont à peu près identiques.

Molière est aussi prudent que Sganarelle, et s'il est moins lâche, il doit néanmoins assister en spectateur soumis aux épouvantables excès commis chaque jour sous ses yeux.

Le prince ne cherche même pas à voiler sa débauche et, quand le jour de l'ouverture des Etats du Languedoc, le 4 novembre 1655, les évêques de Béziers, d'Uzès, et de Saint-Pons viennent en rochet et en camail pour le complimenter, il les reçoit dans le vestibule en s'excusant de ce que sa chambre est dans un extrême désordre à cause de la comédie.

Voilà pour le moral, le physique ne vaut guère mieux. Colbert, qui est l'intendant et l'homme de confiance de Mazarin, écrit au cardinal : « « Madame la princesse de Conti s'est trouvée beaucoup plus mal avant-hier. Pour sauver cette princesse, il faut que Votre Eminence trouve moyen de la séparer de M. le Prince, autrement il est impossible qu'elle puisse échapper de la maladie dont elle est attaquée. C'est le sentiment de tous ceux qui voient ce qui se passe. »

Au début de l'an 1656, le prince est au lit, rongé par ladite maladie. C'est alors que l'évêque d'Aleth, Nicolas Pavillon, un des quatre prélats jansénistes qui refuseront de signer le fameux formulaire, lui rend visite. Est-ce l'effroi d'une mort peut-être prochaine, est-ce repentir sincère ? Conti est souvent sincère, mais change sans cesse de sincérité. Le prince se convertit.

Le mot peut sembler bizarre. Un prince très catholique se convertir ! C'est qu'il y a quatre grands partis chrétiens : les catholiques d'esprit jésuite, les jansénistes, les protestants et les libertins, autrement dit les athées.

Aussi paradoxal que cela puisse paraître on peut être à la fois libre penseur et chrétien. C'est le cas de Conti qui est l'un des chefs du parti libertin. Sa conversion au jansénisme, puisque conversion il y a, n'est qu'une trahison de plus. La religion domine tout, mais l'intérêt est au-dessus de la religion. Tous les grands, Condé, Turenne, Conti, jadis ennemis du roi, maintenant remis en cour, se dévorent entre eux. Le but n'est plus le pouvoir, mais la puissance, il faut se ranger sous un drapeau. Il faut être à quelqu'un. Il est, comme toujours, suspect de n'être à personne. C'est pourtant ce que Molière va tenter avec courage et prudence. Pour l'heure, il semble comme pétrifié par la soudaineté de cette conversion. Cela tiendrait du miracle. C'est d'ailleurs ce que Conti sous-entend : « C'est la Grâce qui fait d'un prince pécheur un prince repentant. » De là à se prendre pour saint Paul !...

Mais pour Molière, c'est Dom Juan qui parle toujours : « Oui, vous me voyez revenu de toutes mes erreurs ; je ne suis plus le même d'hier au soir et le Ciel *tout d'un coup* a fait en moi un changement qui va surprendre tout le monde. Je prétends faire éclater aux yeux du monde un *soudain* changement de vie et réparer par là le scandale de mes actions passées... »

Mais Nicolas Pavillon ne se paye pas de mots ; il oblige le prince, qui tout de suite rechigne et tâche de s'y soustraire, à panser les blessures qu'il a faites un peu partout dans le midi de la France. S'il ne peut rendre la vie aux morts et l'honneur aux femmes, il peut du moins restituer l'argent volé, indemniser ceux dont on a détruit le bien. La princesse vend ses pierreries. L'évêque commande à Conti d'assister à la messe à genoux. Il en fait un pénitent public.

Ce n'est pas tout : Nicolas Pavillon exige son départ pour Paris où il trouvera un directeur de conscience en la personne de l'abbé de Ciron. Celui-ci, lorsqu'il apprend sa nouvelle promotion, se prosterne à terre et verse une grande abondance de larmes. Comme on lui demande quel malheur lui est arrivé, il répond : « C'est un coup terrible que de recevoir cette charge de diriger le prince de Conti. En vérité, voilà ce qui me manquait pour me crucifier entièrement. J'aimerais mieux être condamné à avoir le fouet de la main du bourreau que d'accepter cet emploi si je ne croyais que Dieu l'a ordonné. En vérité, cela m'a mis à *non plus* et j'attends cette heure comme celle de la mort. »

Ceci achève assez bien le portrait de Conti.

Le prince chasse ses comédiens. Molière seul aurait peut-être pu rester. Mais à quel prix ! Servir un clan, c'est s'asservir. La fidélité ou la discipline brident le jugement. Une voix lui crie : « Souviens-toi qu'un homme sage ne se fait point d'affaire avec les grands. » Mais Molière répond, comme Figaro : « Souvenez-vous aussi que l'homme qu'on sait timide vit dans la dépendance de tous les fripons ! »

Pour le moment, le fripon c'est toujours Conti, qui refuse de payer à la troupe les sommes qui lui sont dues.

Molière, dès que le vent tourne, puise une nouvelle force dans son métier d'auteur. Déjà il est prêt de terminer une deuxième pièce. Cette fois, il adapte directement de l'italien une comédie de Nicola Secchi, intitulée : *L'Interèsse* dont il fait encore cinq actes en vers : *Le Dépit amoureux*. Titre justifié par un thème qui lui sera toujours cher et que nous verrons réapparaître dans *Tartuffe* et dans *Le Bourgeois gentilhomme*. Les deux actes où il se développe (le 1er et le 4e) ont une grâce, une légèreté, une gaieté qui ne sentent plus du tout l'adaptation. Ceux-là sont plus de Molière que les trois autres. Les personnages, comme dans *L'Etourdi*, restent encore des types plus que des caractères mais le progrès dans ce domaine est déjà sensible. La création a lieu à Béziers le 12 décembre 1656. Puis c'est à nouveau la route vers l'est — ils jouent à Nîmes en avril 57 — puis vers le nord — ils arrivent à Lyon, où par hasard ils retrouvent le prince de Conti lequel écrit aussitôt à l'abbé Ciron : « Il y a ici des comédiens qui portaient mon nom autrefois. Je leur ai fait dire de le quitter et croyez bien que je n'ai eu garde de les aller voir. »

Hélas ! ce n'est pas la dernière fois que Molière va rencontrer le prince sur son chemin.

Pendant un an encore, les comédiens ne feront que descendre et remonter la vallée du Rhône. C'est au cours d'un de ces voyages que notre homme rencontrera en Avignon Pierre Mignard et se liera avec lui d'une amitié qui ne finira qu'avec sa vie.

Cependant Molière est découragé. Il ne travaille plus. Il semble que *Le Dépit amoureux* n'ait pas répondu à ses espérances. Ce n'est pas tant le succès qu'il recherche que la voie intérieure, le sens de son métier, le droit de l'exercer vis-à-vis de lui-même.

Suis-je vraiment un auteur, se dit-il ? J'ai rimé deux fois cinq actes. Ce n'est pas si facile, mais c'est à la portée de nombre de faiseurs médiocres. Mes vers sont-ils bons ? Je le crois. Ont-ils un sens dramatique, une vertu comique ? Certes. Le public a répondu. Mais ce ne sont que deux adaptations, rien d'original n'est sorti de moi. Si, pourtant, ces scènes de dépit amoureux, je ne les dois à personne, elles sont pures comme le diamant, légères comme le champagne, elles enchantent et font rire avec goût. La qualité est là. Mais le sujet est mince. Qu'importe le sujet. Moi aussi je peux imaginer mille aventures de Truffaldin et de Mascarille, d'Ascagne ou d'Albert. Le Théâtre est-il vraiment là ? Il est là et il est ailleurs.

Molière sent qu'il faut renouveler le théâtre, le faire avancer. Les moyens gratuits ou factices lui répugnent. C'est la vérité qu'il recherche. Elle est à portée de sa main, il ne la voit pas, ce serait trop simple. Ses aspirations vont naturellement vers une forme compliquée (*Don Garcie* en fournira la preuve) alors que tout en lui est prêt pour le vrai. Il n'ose pas encore peindre les hommes comme ils sont. C'est cela. Le verbe peindre ne s'est pas encore présenté à son esprit. Il fait des bouquets et des feux d'artifice, il n'a pas l'idée de prendre une palette et un pinceau. Et il doute. Il doute de lui à en mourir. Il se sent stérile et apte seulement à imiter. Il a travaillé avec acharnement, avec application, il ne renie pas son travail, il en est fier, mais il a l'impression de n'être pas encore Molière. Les sujets ne manquent pas. Il n'en voit aucun. Ce n'est pas qu'il soit en quête d'originalité. Toute sa vie va prouver le contraire. Mais il veut du neuf.

Le miracle c'est qu'il va en faire avec ce qui est éternel et infini : avec l'homme.

Pour le moment le vieux lui paraît hors d'usage, et la nouveauté sonne faux. Il lui prend des envies de mettre ses contemporains sur le théâtre, non point à la façon de Pierre Corneille dans *Le Menteur,* c'est-à-dire en produisant des personnages de comédie, mais d'une manière directe, en faisant reconnaître celui-ci ou celle-là. Est-ce faisable ? Cela peut-il plaire ?...

Molière, nous le savons, est un grand rêveur, il chasse ces images et reprend le cours de la vie qu'il mène depuis plus de dix ans.

Les comédiens qui l'entourent ne l'encouragent guère. Les pièces ne manquent pas — heureuse époque — Que Molière de temps à autre en ajoute une de son cru au répertoire soit, mais il n'y a point de nécessité à cela. Les recettes dans les campagnes dépendent peu du choix de la comédie. Le temps n'est pas loin où seul le nom de Molière sur l'affiche fera recette, mais nul encore ne peut le prévoir.

Ainsi, par un passage à vide, surprenant, Molière après avoir si joyeusement taillé sa plume, la remet dans l'encrier et reste plus de trois ans sans écrire.

LE CHEMIN DE PARIS

III

LE CHEMIN DE PARIS

Les affaires du théâtre vont mal. Voilà maintenant treize ans que l'on vagabonde. Tous, une fois de plus, rêvent de Paris. Mais Paris est loin et le souvenir qu'on en garde est cruel. Alors qu'il se trouve à Lyon en janvier 1658, des amis — dira plus tard La Grange — lui conseillent de s'approcher de Paris.

Quels amis ? Molière en a deux : un au nord à Dijon et c'est le duc d'Epernon, l'autre au midi à Valence et c'est Cosnac qui, on s'en souvient, a été nommé évêque.

Au cours de ses nombreuses descentes et remontées du Rhône, Molière a dû plusieurs fois aller saluer l'ancien favori de Conti.

Il lui a conté ses malheurs et peut-être a-t-il intéressé Cosnac par certains détails. Or Cosnac fait ses malles. Il monte à Paris, il vient d'acquérir la charge de premier aumônier de Monsieur, frère unique de sa Majesté.

Paris... le frère du roi... mots magiques qui font tressaillir Molière. La revanche à prendre sur la capitale — le protecteur qui leur manque depuis la défection de Conti... Tout semble être à portée de la main. En réalité, tout est dans la main de Cosnac, lequel suggère, pour plus de comodité, de s'établir dans une ville proche de la capitale afin d'avoir à tout moment Molière près de lui. Il y aura des problèmes à résoudre, des réponses à donner, des moments favorables à saisir. On ne revient pas en trois jours du Dauphiné, et Cosnac qui d'ailleurs ne s'engage pas, ignore encore quel crédit il pourra avoir auprès de son nouveau maître. Peut-être n'est-il pas fâché d'essayer son pouvoir à propos d'une affaire pour lui sans importance ?

C'est Rouen une fois de plus que Molière choisit. Il recommande le secret à ses comédiens. C'est mal les connaître. Au mois de mai, Thomas Corneille sait déjà par des indiscrétions le désir de Madeleine Béjart.

La troupe s'établit donc à Rouen au jeu de paume des Deux Maures et y joue le 20 juin pour la première fois.

Les efforts de Cosnac paraissent un moment ne pas être couronnés de succès. Madeleine part pour Paris et y loue pour dix-huit mois le jeu de paume du Marais. Faute d'appui officiel les comédiens sont déterminés à tenter leur chance à leurs risques et périls. Pendant ce séjour, Madeleine loge chez Jean Poquelin qui semble la reconnaître pour sa bru.

Mais les événements vont se précipiter et (c'est encore une fois La Grange qui parle), après quelques voyages que fait *secrètement* Molière à Paris, il obtient pour sa troupe et pour lui le titre de Comédien de Monsieur, frère unique du roi.

Pourquoi La Grange écrit-il : « *secrètement* » ? Il semble qu'il cligne de l'œil à la postérité. Molière se doit d'être secret. Les deux autres théâtres de Paris, le Marais et surtout l'Hôtel de Bourgogne, toujours aux aguets, font tout pour empêcher l'établissement de troupes rivales. Cosnac ne veut pas se compromettre ouvertement pour des histrions. Mais le « *secrètement* » de La Grange paraît vouloir donner un sens politique à ces déplacements. Il n'a pas tort. Depuis quinze ans, depuis le départ de la maison paternelle et le choix de sa profession, Molière n'a pas eu à prendre une décision aussi capitale. C'est peut-être le tournant le plus important de sa vie. Notre héros passe le Rubicon, il s'engage, il se compromet, il met le doigt dans les rouages de la politique, il va risquer d'y passer tout entier.

Si Cosnac remue ciel et terre, ce n'est pas pour les beaux yeux d'un comédien qu'il ne voit plus depuis quatre ans, pour lequel il a éprouvé, certes, de la sympathie mais qui se trouve bien au-dessous de lui et duquel il n'a rien à craindre, ni rien à espérer ; ce n'est pas non plus par amour de l'art. Cosnac, ses Mémoires en font foi, n'a jamais agi qu'en vertu de la politique. Mais, dira-t-on, en quoi le chef d'une troupe de comédiens errants peut-il servir les desseins du premier aumônier de Monsieur frère unique du Roi ? En ceci : qu'il en sait long sur Conti. Le prince est devenu l'ennemi juré de Monsieur, chef des libertins. Sa « conversion » passe pour trahison aux yeux de ses anciens amis et alliés. Les ambitions de Conti, nous allons le voir, sont grandes, elles ne vont pas moins qu'à vouloir instaurer un Etat dans l'Etat. Pour les libertins, il est l'homme à abattre. Dans un royaume où l'ordre vient à peine d'être rétabli, une guerre sournoise s'installe qui verra bientôt la chute des jansénistes, puis celle des protestants et enfin sous l'odieux règne de Mme de Maintenon, de manière plus discrète, celle des libertins. Pour le moment les partis sont puissants. Rien n'est plus important, avant d'aller au combat, qu'un bon service de renseignements. Molière qui a vécu les péripéties de la conversion de Conti sait les noms de tous ceux qui gravitent autour du prince. Il a observé les allées et venues des émissaires de la Compagnie. Il peut, introduit à la cour, devenir un agent précieux. La multiplicité des voyages de notre auteur à Paris, et le secret dont il les entoure, inclinent à penser qu'il ne s'agit pas seulement de duper les comédiens du Marais ou ceux de l'Hôtel de Bourgogne. Monsieur et même Cosnac ne se donneraient pas tant de peine. Le succès de Molière auteur n'a pas dépassé Lyon, son talent d'acteur n'est connu que des provinces. Cosnac, qui dédaigne le Théâtre, ne peut être séduit par ces dons professionnels. Ce n'est pas une petite affaire que d'être présenté au Roi et d'obtenir un théâtre à Paris. Or voici qu'une troupe qui traînait depuis quinze ans la misère ou la gêne après elle, qui, au moment du Carnaval se trouvait à Grenoble dans le plus grand désarroi, va d'un coup de baguette entrer en possession de l'une des plus belles salles de Paris et obtenir la protection du propre frère de Sa Majesté. Certes il y a des hasards heureux, des philanthropes, des mécènes, des amis des arts. La femme peut dans certains cas faire la preuve de son pouvoir. Rien de tout cela ne joue en 1658 en faveur de Molière. C'est lui, et lui seul qui agit. Entre l'éternelle promenade du Rhône à la Garonne et la jungle parisienne, il choisit. Pour la première fois de sa vie il abdique une partie de son indépendance, mais il est sur ses gardes, il se sait prudent.

Ceci ne prouve en aucune façon son goût pour la politique. Sans cette volte-face surprenante, Molière n'eût pas été Molière mais son bonheur eût été plus assuré.

Attendant d'un jour à l'autre l'ordre qui le fera venir à Paris, il prolonge son séjour à Rouen et y rencontre les deux Corneille.

Depuis treize ans, il joue les pièces du grand. Il l'admire. Il le respecte. Par une bizarrerie étrange c'est au moment où Molière va coup sur coup produire ses chefs-d'œuvre que Pierre Corneille, déçu, amer, découragé, entre dans sa période de renoncement. Les deux hommes qui s'abordent ont des points communs : l'honnêteté professionnelle, l'amour du théâtre, la dignité, le courage, la simplicité dans le travail, la modestie, le goût de la langue française. C'est la noblesse du théâtre. Corneille a cinquante-deux ans. Molière n'est encore qu'un débutant. L'auteur du *Cid* le reconnaît cependant pour l'un des siens. Les deux écrivains resteront unis jusqu'à la mort d'une amitié, surtout professionnelle, basée sur l'admiration et l'estime réciproque sans que l'envie ou la jalousie vienne jamais s'y glisser.

Corneille est amoureux d'une actrice de la troupe : la du Parc, qui après l'avoir ébloui, lui est cruelle jusqu'à l'insensibilité ; il lui adresse alors ses fameuses stances à « Marquise », cadeau de rupture qui fera rêver bien des femmes et qui immortalise la comédienne.

Molière qui ne se mêle pas des intrigues amoureuses de ses acteurs ne peut pas ignorer celle-là. La brouille survenue entre son auteur préféré et sa ravissante coquette n'est pas étrangère peut-être à la décision du ménage du Parc de quitter la troupe dès son retour à Paris.

Enfin l'on s'éloigne de Rouen. Molière prend avec déférence congé de M. de Corneille l'aîné et ne daigne pas saluer le cadet qui lui marque déjà de la froideur.

En octobre, Molière présente ses compagnons au Roi et à la Reine mère, et le 24 du même mois... mais laissons parler La Grange : « La troupe commença de paraître devant Leurs Majestés et toute la Cour, sur un théâtre que le Roi avait fait dresser dans la salle des Gardes du vieux Louvre *Nicomède,* tragédie de M. de Corneille l'aîné, fut la pièce qu'elle choisit pour cet éclatant début. Les nouveaux acteurs ne déplurent point et l'on fut surtout satisfait de l'agrément et du jeu des femmes. Les fameux comédiens qui faisaient alors si bien valoir l'Hôtel de Bourgogne étaient présents à cette représentation. La pièce étant achevée, M. de Molière vint sur le théâtre et, après avoir remercié Sa Majesté en des termes très modestes, de la bonté qu'Elle avait eue d'excuser ses défauts et ceux de toute sa troupe, qui n'avait paru qu'en tremblant devant une assemblée si auguste, il lui dit que... puisqu'Elle avait bien voulu souffrir leurs manières de campagne, il La suppliait très humblement d'avoir agréable qu'il lui donnât un de ces petits divertissements qui lui avait valu quelque réputation, et dont il régalait les provinces. Ce compliment fut si agréablement tourné, et si favorablement reçu que toute la cour y applaudit, et encore plus à la petite comédie qui fut celle du *Doc-*

teur amoureux. Cette comédie qui ne contenait qu'un acte, et quelques autres de cette nature, n'ont point été imprimées : il les avait faites sur quelques idées plaisantes, sans y avoir mis la dernière main ; et il trouva à propos de les supprimer lorsqu'il se fut proposé pour but dans toutes ses pièces d'obliger les hommes à se corriger de leurs défauts. Comme il y avait longtemps qu'on ne parlait plus de petites comédies, l'invention en parut nouvelle, et celle qui fut représentée ce jour-là divertit autant qu'elle surprit tout le monde. M. de Molière faisait le docteur, et la manière dont il s'acquitta de ce personnage le mit dans une si grande estime, que le Roi donna des ordres pour établir sa troupe à Paris. »

Molière a donc gagné la partie et quelle partie ! et ce en présence des comédiens de l'Hôtel de Bourgogne qui, eux, n'ont pas dit leur dernier mot.

Désormais, il va jouer au Petit-Bourbon les jours extraordinaires, c'est-à-dire : lundi, mercredi, jeudi et samedi, en alternance avec les comédiens italiens auxquels on paye une redevance de 1 500 livres et qui eux jouent les jours ordinaires.

Pourquoi ce choix de *Nicomède* ? Molière honore par là Corneille, solennise la soirée, montre son respect au Roi, et ne se présente que comme acteur. De plus, il essaie de battre ses rivaux sur leur propre terrain : la tragédie.

S'il avait donné *L'Etourdi* ou *Le Dépit amoureux,* on n'eût pas manqué de se servir du comédien pour frapper l'auteur ou vice-versa. La réussite sur plusieurs plans étant toujours considérée chez l'homme de théâtre comme une anomalie à la rigueur possible mais rare à ce point qu'on ne la rencontre jamais.

Il attend donc novembre pour donner *L'Etourdi* et c'est en décembre seulement qu'il joue *Le Dépit amoureux.*

Le succès n'est pas douteux, Le Boulanger de Chalussay lui-même en témoignera plus tard :

Je jouais l'Etourdi qui fut une merveille
Car à peine on m'eut vu la hallebarde au poing,
A peine on eut ouï mon plaisant baragouin,
Vu mon habit, ma toque et ma barbe et ma fraise
Que tous les spectateurs furent transportés d'aise...
Du parterre au théâtre et du théâtre aux loges
La voix de cent échos fait cent fois mes éloges.

Cependant ni la *Gazette,* ni Loret (le chroniqueur de la *Muse historique*) ne mentionnent les débuts devant le Roi et les premières représentations au public.

Monsieur, protecteur de la troupe, se rend au théâtre pour y applaudir *L'Etourdi.* Loret relate en ces termes cette première visite :

De notre Roi le frère unique
Alla voir un sujet comique
En l'Hôtel du Petit-Bourbon
Mercredi, que l'on trouva bon,
Avec ses comédiens jouèrent,
Et que les spectateurs louèrent.
Ce prince y fut accompagné
De maint courtisan bien peigné,
De dames charmantes et sages
Et de plusieurs mignons visages.
Le premier acteur de ce lieu,
L'honorant comme un demi-dieu,
Lui fit une harangue expresse

Pour lui témoigner l'allégresse
Qu'ils recevaient du rare bonheur
De jouer devant un tel seigneur.

S'il insiste avec lourdeur sur les mignons visages et les courtisans bien peignés, Loret se garde bien de parler de la pièce — un sujet comique, dit-il vaguement — et de l'auteur, dédaigneusement désigné dans : « le premier acteur de ce lieu ».

Une véritable conspiration du silence s'établit. Molière de son côté garde un mutisme intelligent.

Pourquoi ferait-il du bruit ? Les recettes sont faibles, certes, mais suffisantes ; elles permettent de tenir. Le jeu de paume de la Croix noire est oublié.

Ses deux premières pièces ont eu un franc succès et il déploie avec fierté et en peu de temps son éventail cornélien : *Heraclius, Rodogune, Cinna, Le Cid* et *La Mort de Pompée.*

En somme, l'année 1658 commencée dans le chaos s'achève dans la réussite à la fois solide et sans trompettes.

A Pâques de la nouvelle année, des changements importants se produisent dans la troupe. Du Fresne, le compagnon des premiers voyages prend sa retraite, les du Parc, comme nous l'avons dit, passent au Marais que Jodelet et son frère L'Espy quittent pour entrer au Petit-Bourbon.

En engageant Jodelet, Molière fait entrer en même temps toutes les pièces comiques et burlesques de Scarron qui composent son répertoire.

Il rend plusieurs visites à l'illustre cul-de-jatte, tombe d'accord avec lui sur les questions d'intérêt et obtient qu'il écrive des comédies nouvelles pour son acteur préféré. La mort empêcha le premier mari de Mme de Maintenon de tenir sa promesse. C'est à ce moment que notre auteur prend connaissance d'une nouvelle tragi-comique de Scarron, intitulée *Les Hypocrites,* dans laquelle un aventurier espagnol, nommé Montufar, trompe les habitants de Séville. De Montufar Molière fera Tartuffe sans toutefois prendre autre chose à la nouvelle que quelques détails de mœurs et la donnée d'une scène.

Le 16 avril, on joue *Le Dépit amoureux* au château de Chilly devant le Roi, Mazarin et la Cour. C'est la première visite officielle. La *Gazette* et la *Muse historique* s'enfoncent dans leur mutisme. La relation de la fête fait seulement savoir qu'il y eut « comédie ».

Qu'espèrent donc les ennemis de Molière qui jusqu'à présent restent dans l'ombre ? Qu'il renonce ? C'est mal le connaître. Il est vrai qu'ils ne le connaissent pas du tout et que la plupart d'entre eux seront incapables de le connaître jamais.

Le 25 avril, La Grange, Du Croisy et sa femme entrent dans la troupe. Molière vient de trouver son lieutenant. La Grange restera toujours à sa place de second, fidèle, dévoué, respectueux, discret, scrupuleux dans ses comptes comme dans la tenue de son registre si précieux. Saluons au passage l'homme qui va créer Dom Juan et Clitandre, Acaste et Cléonte, Valère et Léandre. Il le mérite. A un détracteur du Théâtre quelqu'un répondra un jour : « Si vous condamnez la Comédie, condamnerez-vous un homme comme M. de la Grange ?

Joseph Béjart, le frère aîné de Madeleine, meurt le 25 mai. C'est encore un compagnon des premiers jours qui s'en va.

En juillet, la troupe italienne repasse les Alpes. Molière reste seul maître du Petit-Bourbon et y jouera dorénavant les jours ordinaires soit les mardi, vendredi et dimanche. Bien qu'il gagne à ce changement, ce n'est pas sans mélancolie qu'il voit partir les Italiens avec lesquels il vivait en étroite familiarité. Ceux-ci étaient d'excellents acteurs et d'honnêtes gens. Des soupers les réunissaient avec les Français et ces derniers prenaient plaisir à entendre parler des vieux comiques, de Turlupin, Gautier-Garguille, Gorgibus, Crivello, Spinette, du Docteur et du Capitan.

L'année 1659 est calme. On remet de l'ordre dans la troupe et dans les comptes. On paye à Mlle Béjart de vieux décors qui devaient dater d'avant l'Illustre Théâtre. Derrière toutes ces opérations destinées à liquider le contentieux, on sent l'autorité modeste et le sens économe de La Grange.

Molière semble endormi. Que pourrait-on d'ailleurs lui reprocher ? N'est-il pas devenu stérile ? *L'Etourdi* et *Le Dépit amoureux* datent déjà. Allons, tout ceci n'aura été qu'un feu de paille et le jour n'est pas loin qui verra la troupe du Petit-Bourbon reprendre le chemin de Limoges.

Tout l'Hôtel de Bourgogne soupire d'aise et c'est dans une atmosphère quasi fraternelle que le 18 novembre 1659 Molière donne la première représentation des *Précieuses ridicules*.

L'ACCUEIL DES CONFRÈRES

IV

L'ACCUEIL DES CONFRERES

Les spectateurs qui se souviennent du triomphe du *Cid* n'en reviennent pas. Une petite comédie en un acte fait autant de bruit qu'il y a vingt-trois ans le chef-d'œuvre du grand Corneille.

Tout le monde est contre Molière, et d'abord les auteurs et les comédiens : c'est toujours la profession qui fournit les ennemis les plus sûrs. Mais tout Paris veut voir la pièce. Tout Paris se précipite au Petit-Bourbon. O surprise, *Les Précieuses* ne sont plus à l'affiche. On murmure, on parle d'interdiction, la Cour aurait fait demander une copie, les confrères insinuent qu'il y aurait insolence et scandale. Le scandale, c'est le succès. Molière a surpris tout le monde. Le public qui venait d'entendre *Cinna,* et qui se disposait à écouter la nouvelle petite pièce, probablement une farce anodine dans le genre de *Docteur amoureux*, est subitement pris aux entrailles, subjugué, aux anges. Il s'étrangle de rire, il n'en revient pas. Tant de drôleries, tant de tact dans l'audace le ravissent. C'est une des qualités des Parisiens de s'enflammer aussi subitement. La pièce est neuve. Jamais le théâtre en France n'en a vu de pareille. Jusqu'alors ce n'étaient qu'aventures romanesques, personnages stéréotypés, creux héros, barbons jaloux, filles enlevées, valets comiques. Cette fois c'est la vie de Paris de ce moment précis, c'est la mode qui est sur le théâtre. Si nous osions, nous dirions que Molière vient d'écrire une pièce en veston. Pour le mieux faire voir il donne aux premiers personnages qui paraissent le nom des comédiens qui les jouent : La Grange et Du Croisy. Une sourde agitation se crée, les jaloux chuchotent un peu partout qu'il est préférable de s'en tenir là. Sans l'avoir vue certains prennent à propos de la pièce des mines à la fois apitoyées et indignées, on laissa même sous-entendre qu'il serait de l'intérêt de l'auteur de se voir interdit : la deuxième représentation des *Précieuses* a lieu le 2 décembre, quatorze jours après la première.

Molière qui montrera toujours un esprit pratique et un sens de la publicité assez surprenants décide de jouer cette fois « à l'extraordinaire », c'est-à-dire de doubler le prix des places, le parterre passe donc à trente sols.

Loret qui assiste à cette représentation daigne pour la première fois parler de la troupe. Mais il ne nomme pas l'auteur. S'il fait un premier pas, on sent pourtant qu'il n'a pas encore désarmé. Toutefois, comme il est impossible de cacher un triomphe aussi évident il écrit :

Les comédiens de Monsieur.
Ont été fort visités

Par gens de toutes qualités
Qu'on en vit jamais tant ensemble
Que ces jours passés ce me semble
Dans l'hôtel du Petit Bourbon
Pour moi j'y portais trente sous
Mais oyant leurs fines paroles
J'ai ri pour plus de dix pistoles.

Ce qui prouve qu'à l'époque, les critiques payaient leurs places. Molière interrompt pendant dix-sept jours le succès des *Précieuses,* mais cette fois, c'est de son propre chef et pour faire face à ses engagements. Il donne le 12 décembre la première représentation de la *Zénobie* de Magnon qui, suivant le mot de La Grange, fait « four » à la quatrième.

A partir de ce moment le succès des *Précieuses* est absolument inouï. On vient à Paris de vingt lieues à la ronde. La moyenne des recettes qui était jusque-là de deux cents livres fait un bond prodigieux, la deuxième représentation a produit 1 400 livres, *Le Dépit amoureux* qui était tombé à 60 livres, affiché avec *Les Précieuses,* remonte à 910 livres, *Zénobie* même fait maintenant, et à l'ordinaire, 1 200 livres.

Le triomphe n'étant plus contestable, on en discute la qualité, Molière est tenu à mépris, accusé de plagiat, de compilation et de contrefaçon.

Somaize qui clame partout que la pièce ne vaut rien, la traduit cependant en vers et dit dans son épître dédicatoire à Marie de Mancini : « Je ne laisse pas, Mademoiselle, de vous faire un présent vulgaire en vous offrant cette comédie, qui quelque réputation qu'elle ait eue en prose, m'a semblé n'avoir pas tous les agréments qu'on lui pouvait donner ; et c'est ce qui m'a fait résoudre à la tourner en vers, pour la mettre en état de mériter avec un peu plus de justice, les applaudissements qu'elle a reçus, de tout le monde, plutôt par bonheur que par mérite. »

Somaize ne manque pas de toupet. Comme la veine est bonne, il publiera ensuite *Le grand dictionnaire des Précieuses* puis un *Procès des Précieuses* en vers burlesques.

Le crime paie.

Nous devons cependant à la vérité une courte explication des mœurs professionnelles de l'époque.

Les emprunts, le plagiat même étaient chose courante. Nul ne songeait à s'en offusquer. La forme primait tout, peu importait la source de l'histoire.

Molière et Racine ne se cachent pas d'imiter Plaute et Térence, Euripide et Sénèque. Ils s'attaquent à des thèmes éternels. Ils les mettent à la disposition de leurs contemporains. Ils ne peuvent s'insurger, si d'autres font de même, ou même s'ils pillent directement leurs œuvres.

Molière croit cependant, et avec raison à propos des *Précieuses,* avoir droit à l'originalité. Il n'envoie pas dire à ses plagiaires : « Qu'ils disent tous les maux du monde de mes pièces, qu'ils s'en saisissent après moi, qu'ils les retournent comme un habit pour les mettre sur leur théâtre et tâchent à profiter de quelque agrément qu'on y trouve et d'un peu de bonheur que j'ai, j'y consens, ils en ont besoin, et je serai bien aise de contribuer à les faire subsister. »

Il y consent !... « Façon de parler naturelle », dirait Mascarille.

Pour le moment il est tout à son bonheur.

Au sortir d'une représentation des *Précieuses* Ménage, qui n'aime pas Molière, dit à Chapelain : « Monsieur, nous approuvions, vous et moi, toutes les sottises qui viennent d'être critiquées si finement et avec tant de bon sens ; mais, pour me servir de ce que saint Rémy dit à Clovis, il nous faudra brûler ce que nous avons adoré et adorer ce que nous avons brûlé. »

Les ennemis de Molière, qui ne sont pas tous d'aussi bonne foi, tentent de se rassurer en affirmant que c'est surtout une pièce d'actualité qui passera avec la mode. Et puis l'auteur n'est pour rien dans cette réussite. Le succès ne va qu'aux comédiens que cependant certains discutent. Thomas Corneille écrit à l'abbé de Pure : « Le grand monde qu'ils ont eu à leurs *Précieuses* fait bien connaître qu'ils ne sont propres qu'à soutenir de pareilles bagatelles et que la plus forte pièce périrait entre leurs mains. »

On n'est pas plus confraternel.

Molière apprend, que par une supercherie assez coutumière en ce siècle, un libraire sans son autorisation a édité sa pièce. Aussitôt, il s'indigne : « C'est une chose étrange qu'on imprime les gens malgré eux » ; puis se fait une violence assez douce, « M. de Luynes veut m'aller relier de ce pas, à la bonne heure puisque Dieu l'a voulu. » Tout le caractère raisonnable, prudent et modeste de Molière est dans cette préface dont il tire parti pour officialiser son triomphe : « J'offenserais mal à propos tout Paris si je l'accusais d'avoir pu applaudir à une sottise », puis après cette grande révérence, pour remettre les choses à leur place... « les véritables Précieuses auraient tort de se piquer, lorsqu'on joue les ridicules qui les imitent mal. » Inutile de se brouiller avec ce qui reste de l'Hôtel de Rambouillet.

Il jouera même six mois plus tard *La vraie et la fausse Précieuse,* pièce d'un certain Gilbert qui confirme de façon adroite et peu dangereuse son propre succès et ses bonnes intentions.

Ce coup de foudre des *Précieuses* a plusieurs effets : il étonne Paris au vrai sens du mot, il révolutionne le théâtre et surtout il rend Molière conscient de ses droits et devoirs envers la comédie.

Pour la première fois il vient de toucher la vérité. Il atteint au naturel. Il s'éloigne des types. Sa construction est simple, il élimine dès l'abord l'imprévu, puisque La Grange annonce Mascarille. Il eût pu ne le révéler qu'à la fin de la pièce, c'eût été tenter le diable et il aurait été à craindre que quelques vraies Précieuses s'y soient laissé prendre. Grace à cette précaution la farce se déroule sans à-coup au détriment des deux pecques provinciales. Encore un coup de chapeau à l'adresse de Paris. Il se tient, suivant son mot, dans les bornes de la satire honnête et permise.

Non seulement il atteint à la vérité, mais il y atteint par le comique ce qui est la chose la moins facile à faire. En un mot il a compris. Une porte s'est ouverte, une de plus, mais par celle-là passera toute son œuvre.

La pièce est toujours restée au répertoire avec plus ou moins de bonheur, la fin n'est pas brillante assez au gré des comédiens, et ceux-ci font baisser le rideau sur la sortie de Mascarille. Le texte du héros de la comédie est de ceux qui se distillent avec élégance. Coquelin, puis après lui Georges Berr et M. André Brunot surent, avec un style tout particulier, faire naître le comique de la délicatesse de leur diction. Cette tradition de grande classe tend à disparaître, Mascarille s'agite, danse, remue, étourdit et renonce à la lutte à l'entrée de Jodelet puisqu'il n'a plus d'effet à produire. Les Précieuses elles-mêmes sont jouées parodiquement, et semblent conscientes de leur excès. Une naïve sincérité suffirait. La comédie porterait moins peut-être, mais elle serait mieux rendue. Doit-on absolument forcer le rire ? On le peut presque toujours. C'est une grande tentation, à laquelle un comédien digne de ce nom doit résister. *Les Précieuses ridicules* en offrent un exemple presque constant.

A Pâques 1660 l'année théâtrale se termine et La Grange fait ses comptes, la part pour l'année s'élève à 2 995 livres. Chaque comédien reçoit une part ou une demi-part.

Dès cette époque, et même avant, la troupe de Molière jette les bases d'un système corporatif financier et administratif qui sera plus tard, en beaucoup plus compliqué, celui de la Comédie-Française.

Contrat d'association, répartition d'abord quotidienne puis annuelle des bénéfices, stages d'essai (pensionnaires), retraite, tout est dans l'Illustre Théâtre.

Ceci est encore une révolution, mais d'un autre genre. La condition du comédien était certes précaire, mais bien moins qu'elle ne l'est aujourd'hui. Aussi longtemps qu'il y a eu des troupes, les acteurs sérieux et fidèles étaient assurés d'un gain superbe, honnête ou modeste. J'ai entendu récemment un vieux comédien dire : « J'ai servi deux théâtres dans ma vie, je suis resté trente et un ans dans l'un et vingt dans l'autre. » Cet heureux temps est révolu. Depuis vingt-cinq ans Paris n'a plus qu'une seule vraie troupe, celle de la Comédie-Française. Hors d'elle c'est l'aventure.

Au XVIIe siècle la forme d'association conçue par

Molière et ses camarades constituait et constitue toujours le plus grand progrès social apporté à la profession de comédien. Ou l'acteur est prodigieusement avare par peur du lendemain ou bien il est insoucieux et imprévoyant. Il n'y a pas de milieu. Le système d'association calme ses craintes et assure son avenir. Le seul danger d'un tel contrat réside dans l'embourgeoisement, dans l'orgueil des droits acquis et qui ne reposent que sur l'habitude, dans l'absence d'émulation, dans le faussement d'un jugement artistique qui ne s'exerce plus qu'en vase clos. Tout finit par s'atténuer aux yeux de ses propres camarades, les qualités comme les défauts. Par contre le fait de travailler toujours avec les mêmes acteurs apporte dans le jeu une souplesse inconsciente des plus précieuses.

Ainsi nos anciens étaient certainement plus heureux que nous. D'abord ils ne faisaient que du théâtre. Ils répétaient peu. Ils ne jouaient pas tous les jours. Ils n'avaient pas à courir d'un studio à l'autre, des Buttes-Chaumont à la rue Cognacq-Jay, pour, dans une atmosphère surchauffée, venir placer deux répliques au milieu du tumulte, parmi les câbles, les projecteurs et les caméras. Mlle Reichemberg recevait chez elle tous les jours à cinq heures. Quelle comédienne aujourd''hui pourrait en faire autant ? Nos anciens ne payaient pas d'impôts. Ils vivaient, sans doute un peu en marge de la société, mais ils ne s'en portaient pas plus mal, et pourvu qu'à l'heure de la mort, le repentir les prenne à temps, ils avaient droit, comme les autres, à leur pelletée de terre sainte. Les lois sociales, si bénéfiques dans la plupart des professions, sont venues tout compliquer dans un métier qui ne saura jamais s'organiser. Le comédien a avant tout besoin de travail. Il n'est pas de système parfait.

Point de recette pour lui en procurer régulièrement ; toutefois un plan raisonnable devrait, tout en restreignant considérablement le nombre des acteurs par une sélection sévère au départ, permettre à ceux-ci, non pas seulement de se syndiquer, mais de s'associer suivant l'admirable exemple des auteurs.

Tout ceci n'étant pas nécessaire il y a trois siècles, nos comédiens encaissent leur partage et profitent des jours saints pour prendre quelque repos.

A cette époque, Molière, encore célibataire, épicurien, en pleine santé, fait quelquefois ripaille avec quelques amis.

Chapelle a laissé ce curieux récit d'un dîner au cabaret de la *Croix de Lorraine* :

Ce fut à la Croix de Lorraine
Lieu propre à se rompre le cou,
Tant la montée en est vilaine ;
Surtout quand entre chien et loup
On en sort, chantant Mirdondaine.
Or là nous étions bien neuvaine
De gens, valant tous peu ou prou...

L'illustre chevalier Qu'importe
Etait vis-à-vis de la porte
Joignant le comte de Lignon,
Homme à ne jamais dire non,
Quelque rouge-bord qu'on lui porte.
Après lui, l'abbé du Broussin,
En chemise montrant son sein,
Remplissait dignement sa place,
Et prenait soin d'un seau de glace
Qui rafraîchissait notre vin.

Molière que bien connaissez
Et qui vous a si bien farcés,
Messieurs les coquets et coquettes,
Le suivait et buvait assez,
Pour, vers le soir, être en goguettes.

Après la fermeture rituelle de Pâques les du Parc réintègrent le Petit-Bourbon, et comme s'il voulait continuer le chassé-croisé Jodelet meurt au même moment ; c'est un des vieux et grands farceurs qui disparaît. Il s'était illustré dans *Le Menteur*. Il y était si prodigieux que Corneille avait écrit pour lui *La Suite du Menteur*. Sa face plâtrée de blanc passera à la postérité grâce aux *Précieuses* dans lesquelles Molière lui fait jouer son propre personnage : le vicomte de Jodelet.

Le 6 août Jean-Baptiste Poquelin perd son frère Jean qui, l'on s'en souvient peut-être, était titulaire de la charge de tapissier, valet de chambre du Roi. Soit par raison pure soit par esprit politique, Molière qui vient pourtant d'établir sa réputation d'auteur et de comédien, reprend son premier métier. Peut-être voit-il là le moyen d'approcher doublement le Roi.

Tout en ménageant l'avenir, il répète une nouvelle pièce en un acte et en vers : *Sganarelle ou le Cocu imaginaire,* qu'il offre pour la première fois au public le 28 mai. Effet énorme. Adhésion quasi unanime. Jaloux et rivaux renoncent à poursuivre, au moins par écrit, leur campagne de dénigrement. Bien plus, Molière apprend à cette occasion, c'est De Visé qui le révèle dans ses *Nouvelles nouvelles...* « que les gens de qualité ne voulaient rire qu'à leurs dépens ; qu'ils voulaient que l'on fît voir leurs défauts en public ; qu'ils étaient les plus dociles du monde puisque, loin de se fâcher de ce que l'on publiait leurs sottises, ils s'en glorifiaient ; et de ce fait, après que l'on eut joué les *Précieuses* où ils étaient représentés et bien raillés, ils donnèrent eux-mêmes, avec beaucoup d'empressement, à l'Auteur des mémoires de tout ce qui se passait dans le monde, et des portraits de leurs propres défauts et de ceux de leurs meilleurs amis ; croyant qu'il y avait de la gloire pour eux que l'on reconnût leurs impertinences dans ses ouvrages et que l'on dît même qu'il avait voulu parler d'eux.

« Notre auteur, après avoir fait *Le Cocu imaginaire,* reçut des gens de qualité plus de mémoires que jamais, dont on le pria de se servir dans celles qu'il devait faire ensuite, et je le vis bien embarrassé, ajoute De Visé, un soir après la comédie qui cherchait partout des tablettes pour écrire ce que lui disaient plusieurs personnes de condition. »

Ainsi Molière triomphe comme comédien et pour la première fois ouvertement comme auteur. Il est maintenant adopté, choyé, reçu, fêté, invité, lancé, enfin il est à la mode. Ce succès a pourtant un autre caractère que celui des *Précieuses* : il est plus classique, nous dirons presque plus rassurant. La pièce est d'un homme de métier qui reste dans la ligne. Fait curieux la comédie a peine à démarrer, les recettes ne suivent pas. Elles sont de beaucoup inférieures à celles des *Précieuses* et surtout plus irrégulières ; 300 livres à la première au lieu de 533, 350 à la deuxième, 230 à la troisième, 155 à la douzième avec *Héraclius*. La recette la plus élevée est de 771 livres avec *L'Etourdi*. Molière constate que *Sganarelle* rend davantage lorsqu'il est affiché avec une de ses autres pièces. Il fera dorénavant alterner *Les Précieuses,* avec *Le Cocu* pour accompagner la pièce principale.

Une fois encore, Molière est surpris par la parution d'une édition de Sganarelle qui comprend, outre le texte, des arguments, explications de jeux de scène, du Sieur de Neuvillaine. Molière fait perquisitionner chez l'imprimeur et saisir les exemplaires chez Jean Ribou le libraire.

Certains nuages plus dangereux semblent vouloir s'amasser au-dessus du Petit-Bourbon. Déjà l'an pas-Loret avait annoncé :

Par ordre de Son Eminence
On va dit-on en diligence
Continuer mieux que jamais
Par une belle architecture
Du Louvre la grande structure
Et c'est à présent tout de bon
Que le sage sieur Ratabon
Comme ayant la surintendance
Des bâtiments royaux de France
Va de bon cœur, s'employer là.

Les comédiens n'y avaient pas pris garde. Mais voici que les événements se précipitent et le 11 octobre 1660 La Grange note :

« Le théâtre du Petit-Bourbon commença à être démoli par Monsieur de Ratabon, Surintendant des bâtiments du Roi, sans en avertir la Troupe qui se trouva fort surprise de demeurer sans théâtre. On alla se plaindre au Roi, à qui Monsieur de Ratabon dit que la place de la salle était nécessaire pour le bâtiment du Louvre et que, les dedans de la salle qui avaient été faits pour les ballets du Roi, appartenant à Sa Majesté, il n'aurait pas cru qu'il fallait entrer en considération de la Comédie pour avancer le dessein du Louvre. La méchante intention de Monsieur de Ratabon était apparente. Cependant le Roi, à qui la troupe avait le bonheur de plaire, fut gratifiée par sa Majesté de la salle du Palais-Royal, Monsieur l'ayant demandée pour réparer le tort qu'on avait fait à ses Comédiens, et le Sr de Ratabon reçut un ordre exprès de faire les grosses réparations de la salle du Palais-Royal. Il y avait trois poutres de charpente pourries et étayées, et la moitié de la salle découverte et en ruine. La Troupe commença quelques jours après à faire travailler au théâtre et demanda au Roi le don et la permission de faire emporter les loges du Bourbon et autres choses nécessaires pour leur nouvel établissement ; ce qui fut accordé à la réserve des décorations, que le Sr de Vigarani, Machiniste du Roi, nouvellement arrivé à Paris, se réserva sous prétexte de le faire resservir aux Tuileries ; mais il les fit brûler jusques à la dernière, afin qu'il ne restât rien de l'intention de son prédécesseur qui était le Sieur Torelli, dont il voulait ensevelir la mémoire. La Troupe en butte à toutes ces bourrasques eut encore à se parer de la division, que les autres comédiens de l'Hôtel de Bourgogne et du Marais voulurent semer entre eux, leur faisant diverses propositions pour en attirer les uns dans leur parti les autres dans le leur. Mais toute la Troupe de Monsieur demeura stable, les acteurs aimaient Mr de Molière leur chef, qui joignait à un mérite et une capacité extraordinaires une honnêteté et une manière engageante qui les obligea tous à lui protester qu'ils voulaient courir sa fortune et qu'ils ne le quitteraient jamais, quelque proposition qu'on leur fît et quelque avantage qu'ils pussent trouver ailleurs. »

Molière n'a pas attendu le second coup de pioche

pour s'agiter. Il s'est précipité aux pieds du Roi. Louis XIV qui vient d'épouser l'Infante Marie-Thérèse témoigne déjà de l'intérêt naissant qu'il porte à la troupe de son frère et particulièrement à son chef. Molière qui gagne au change va jouer jusqu'à sa mort dans la salle construite par Richelieu en 1639 pour sa tragédie de *Mirame*.

Pour le moment, comme on vient de le voir, elle est en ruine ou presque. Moins de vingt ans après la mort du cardinal on a laissé à l'abandon son cher théâtre. Ceci prouve que l'on n'avait ni le culte de la mémoire, ni le respect des monuments les plus précieux. Ce drame apporte une autre preuve : celle de la promptitude des réactions de Monsieur en faveur de Molière. Pendant les trois mois que Monsieur de Ratabon met à réinstaller les comédiens au Palais-Royal, la Troupe de Monsieur donne des représentations partout : à la Cour, chez M. Sanguin, chez le maréchal d'Aumont, chez Fouquet le Surintendant des Finances, chez le maréchal de la Meilleraye, chez M. de la Basinière, le duc de Roquelaure, le duc de Mercœur, chez le comte de Vaillac. La troupe joue six fois devant le Roi, une fois à Vincennes et cinq au Louvre. Une de ces représentations est marquée par un fait exceptionnel que La Grange note ; ils jouent *L'Etourdi* et *Les Précieuses* chez Mazarin, malade, assis dans sa chaise : « Le Roi, dit La Grange, entend la comédie debout, appuyé sur le dossier de ladite chaise de Son Eminence. » Puis entre les lignes, au-dessus du mot debout, il ajoute : « incognito » et enfin en marge : « Nota que le Roi vit la Comédie incognito et qu'il rentrait de temps en temps dans un grand cabinet. »

C'est à cette époque que Loret, pour la première

fois, cite le nom de Molière que, par une ignorance ou sincère ou étudiée, il écrit Molier.

Cependant notre auteur travaille. Il s'agit pour lui de montrer qu'il est digne de la faveur royale. Il ne peut recommencer le coup d'éclat de la salle des Gardes. Pas davantage ouvrir ce théâtre splendide avec une pièce en un acte. Il donne donc tous ses soins à une tragi-comédie en cinq actes en vers qu'il intitulera *Don Garcie de Navarre.*

Il vient de réussir brillamment dans le comique, et même dans la farce. Il veut montrer que, pouvant dépasser même la haute comédie, il atteint au style tragique. Il a toujours gardé la nostalgie des rôles de héros qu'il a joués dans les provinces. Le public pourtant ne l'appréciait guère. Qu'importe, il s'y sentait. Danger couru fréquemment par les acteurs qui devraient toujours se répéter que sentir n'est pas exprimer et ne pas se leurrer sur l'effet que leur physique peut produire sur le public. La noblesse du lieu, le fait que la salle ait été d'abord destinée par Richelieu à la tragédie, le désir de s'élever (peut-être met-il encore le sérieux au-dessus du comique) la nécessité où il se trouve de saluer et de remercier avec dignité le Roi et Monsieur, un besoin profond, une envie brûlante et peut-être un petit péché d'orgueil vont précipiter le seul grand faux pas de sa carrière. Le théâtre du Palais-Royal, qui a ouvert ses portes le 20 janvier 1661, doit les fermer le 4 février. La première création se solde par un échec retentissant.

Molière qui, jusqu'à présent, n'avait pas songé à faire éditer ses pièces avait sollicité pour celle-là un privilège. Devant la catastrophe qui fait relever la tête à ses ennemis, il ne publie pas *Don Garcie,* que personne d'ailleurs ne songe à imprimer clandestinement.

Les comédiens paraissent plus accablés que leur chef. La Grange, surtout, est attendrissant. Il a pris l'habitude de signaler sur son registre : troisième ou quatrième pièce nouvelle de M. de Molière, celle-ci est la cinquième, mais il veut l'oublier, et c'est à la suivante qu'il donnera le numéro cinq. Plus tard, dans la fameuse préface de l'édition de 1682, il aura complètement oublié *Don Garcie.*

Encore qu'il soit presque impossible de déterminer avec précision les raisons d'une réussite ou d'un échec au théâtre et que, si même on y parvient, il est illusoire d'en tirer un enseignement pour l'avenir, Molière médite sur ses erreurs. La première, la plus grande, c'est d'avoir voulu viser trop haut, et pour cela d'avoir dédaigné la vérité, la seconde, de s'être attaqué à un genre désuet et pas très bien défini, la troisième, car la pièce est loin d'être sans qualité, et l'auteur au fond de son cœur ne la reniera jamais, c'est de l'avoir mal distribuée. Lucien Guitry disait : « Une pièce bien distribuée, c'est la moitié du succès » ; or *Don Garcie* l'était on ne peut plus mal. Les deux héros, Don Garcie et Elvire, c'étaient Molière et Madeleine Béjart. Celle-ci attendait depuis longtemps une revanche à prendre. Ni *L'Etourdi* ni *Le Dépit amoureux*, ni *Les Précieuses* ni *Sganarelle,* ne lui avaient permis de justifier son titre de reine de la troupe. Madeleine, à quarante-deux ans, est encore jolie, elle le prouvera dans la nymphe des *Fâcheux,* mais pas assez aux yeux des loges et du parterre du Palais-Royal. Comme toujours lorsqu'il s'agit d'une chute, l'on s'arrange au cours de la soirée pour faire un triomphe à un second rôle. C'est la ravissante du Parc, qui, en travesti dans le rôle d'Ignès, remporta la palme.

Ceci n'est pas fait pour panser les blessures de Madeleine, ni pour resserrer les liens des deux amants toujours unis par la tendresse, mais beaucoup moins par les sens.

Quant à notre héros, si l'on en croit encore le Boulanger de Chalussay : « Les yeux hagards et de travers, la bouche grande ouverte en prononçant les vers... » il échoue complètement dans le rôle de Don Garcie. On dit même qu'il l'abandonne au plus tôt. Son fameux hoquet dont il tirait de si merveilleux effets dans le comique venait de le desservir dangereusement.

Mais si le coup est rude, Molière sait en philosophe en tirer leçon : il ne s'aventurera plus dans les sentiers tragiques. Il tombe mais tombe en silence.

Point d'examen de sa pièce, point d'autocritique, comme chez Corneille, point de préface explicative, comme plus tard chez Racine. Molière sait trop qu'un auteur ou un comédien, qui essaie de justifier ce qui n'a pas réussi, ressemble à ce médecin qui se rend au chevet d'un malade afin « *d'aviser et de voir ce qu'il aurait fallu faire pour le guérir...* »

Et puis la réalité est là dans toute sa rigueur. Point n'est besoin de se lamenter, il faut agir et vite. Sa troupe doit vivre. Il ne faudrait pas avoir à quitter le Palais-Royal. Chose étrange l'opposition reste muette. Elle pense sans doute que Molière est à jamais à terre. Erreur, il est déjà au travail.

Seule une vraie comédie peut effacer la mauvaise impression laissée par Don Garcie.

Le problème est double et plein de contradiction. S'il faut écrire vite, d'autre part la coutume veut que l'on ne crée les pièces comiques que pendant l'été et que l'on réserve l'hiver aux pièces sérieuses. Cette règle que Molière abolira plus tard, il doit encore la respecter. Il écrit les trois actes de *L'Ecole des maris*, son premier chef-d'œuvre, mais il attend le 24 juin pour les donner au public. Triomphe éclatant qui affirmera pour toujours sa réputation. La pièce est nerveuse. Les caractères subtils et bien dessinés, l'intrigue se renouvelle constamment quoique sur le même thème. Le dénouement est admirable ; point du tout gratuit, comme on lui en a déjà fait le reproche. Tiré de la situation et de l'exaspération des caractères, il est à la fois original et logique. Molière, cette fois, fait imprimer sa pièce, qu'il dédie à Monsieur. C'est, dit-il, le premier ouvrage qu'il met lui-même au jour.

Cependant, avant la réouverture de Pâques, au moment même où il est en train d'écrire, il demande à ses camarades que deux parts lui soient accordées « pour luy ou sa femme s'il se mariait ». La troupe acquiesce à son désir.

Ainsi Molière pense au mariage. Qui est la femme ? Il ne l'a pas cherchée bien loin. Il l'a vue grandir. Il l'a pour ainsi dire élevée, entourée depuis toujours de sa tendresse. C'est elle que nous avons vue paraître dans des rôles d'enfant sous le nom de Mlle Menou ; c'est la fille de Madeleine : Armande, Grésinde, Claire, Elisabeth Béjart. « Elle a les yeux petits, mais elle les a pleins de feux, les plus brillants, les plus perçants du monde, les plus touchants qu'on puisse voir. Elle a la bouche grande, mais on y voit des grâces qu'on ne voit point aux autres bouches, et cette bouche en la voyant inspire des désirs, est la plus attrayante, la plus amoureuse du monde. Sa taille n'est pas grande, mais elle est aisée et bien prise. Elle affecte une nonchalance dans son parler et dans ses actions ; mais elle a grâce à tout cela, et ses manières sont engageantes, ont je ne sais quel charme à s'insinuer dans les cœurs. Son esprit est fin et délicat. Sa conversation charmante quoique sérieuse. Elle est capricieuse, autant que personne du monde, qu'importe : tout sied bien aux belles, on souffre tout des belles. »

Molière n'y a point pris garde, mais l'effet qu'elle fait sur son cœur doit être bien visible puisque Chapelle lui écrit :

La branche amoureuse et fleurie
Pleurant pour ses naissants appas
Toute en sève et larmes l'en prie
Et jalouse de la prairie
Dans cinq ou six jours se promet
De l'attirer vers son sommet.

Et il ajoute : « Vous montrerez ces vers à Mlle Menou, aussi bien sont-ils la figure d'elle et de vous. »

Quand Molière ouvre les yeux il est trop tard, il est pris. Il ne lui reste qu'à faire sa cour et *L'Ecole des maris* va lui en offrir les moyens.

Par la voix d'Ariste, il va s'adresser à Armande :

Je sais bien que nos ans ne se rapportent guère
Et je laisse à son choix liberté tout entière
Si quatre mille écus de rente bien venant
Une grande tendresse et des soins complaisants
Peuvent à son avis, pour un tel mariage

Réparer entre nous l'inégalité d'âge,
Elle peut m'épouser, sinon choisir ailleurs...

Or Ariste a cinquante-neuf ans. Sganarelle, son frère, de vingt ans son cadet, ne manque jamais de le rappeler à ce « goguenard presque sexagénaire ». Par-là, il nous indique son âge propre, trente-neuf ans, l'âge même de Molière. Ce n'est pas un hasard. Si l'on y prend bien garde, la pièce tend à prouver que tout est possible, en dépit d'une inégalité d'âge de quarante années, à deux âmes honnêtes et tendres. La différence de vingt années qui sépare Sganarelle d'Isabelle, et par conséquent Molière d'Armande, n'est jamais citée en obstacle. Si donc Sganarelle avait la « compréhension » d'Ariste, il n'y aurait aux yeux de l'auteur pas de problème.

Par une adresse toute masculine, Molière fait comprendre à Armande qu'il est Sganarelle pour l'âge et le physique et Ariste pour le caractère. Passée muscade, escamotée la différence d'âge ! Mais tel est pris qui croyait prendre (en toute bonne foi d'ailleurs) et la Léonor qu'il courtise va se trouver vite être une Isabelle.

Il ne se doute pas qu'il est en train de vivre alors, les plus douces années de sa vie. C'est l'époque des fiançailles, il rêve à son bonheur futur, il fait sa cour, il est amoureux comme un enfant, il cherche à plaire, il promet tout ce qu'on veut et si, de temps à autre, il paraît s'apercevoir qu'Armande n'est pas aussi parfaite qu'il le voudrait, il se dit qu'un peu de calme autorité réparera tout cela.

L'abîme est devant lui, mais il danse tout autour, sans jamais y prendre garde.

Comment l'amour en lui a-t-il pris naissance ? Il

ne saurait le dire ? Est-ce vraiment de l'amour d'ailleurs ? Il semble que l'enfant lui ait jeté un charme. La tendresse, les douces caresses, l'habitude d'être ensemble, les conseils qu'il lui a prodigués, son éducation dont il s'est chargé lui ont rendu sa présence indispensable. Il n'a jamais pensé qu'elle pourrait être à un autre et tout naturellement, quand l'idée est venue un jour lui en effleurer le cœur, le désir est né au même moment, mais ce n'est pas encore l'amour. Il viendra plus tard et comme presque toujours dans la souffrance.

Le jour où il s'aperçoit que le désir est entré en lui et qu'il ne pourra plus l'en chasser, sa pensée se tourne immédiatement du côté de Madeleine, son premier amour, sa maîtresse depuis bientôt vingt ans et, — nous le prouverons plus tard — la mère d'Armande.

Comment lui annoncer pareil événement ? Et comment le lui cacher ? Elle est femme, elle a deviné depuis longtemps, il n'a même pas à parler, au premier mot elle lui ferme la bouche et, c'est là peut-être la preuve la plus sublime de sa maternité, elle est heureuse.

Peut-être aussi voit-elle dans ce mariage un moyen de garder près d'elle son Jean-Baptiste ?

Quoi qu'il en soit, sans arrière-pensée aucune, elle travaillera au bonheur du ménage, elle s'emploiera jusqu'à sa mort à réunir, à réconcilier les deux époux. On peut affirmer qu'au milieu de tous ses maux et de tous ses tourments, Molière aura connu une seule vraie chance : celle de ne pas avoir de belle-mère. Mais, dira-t-on, tout le monde ne peut pas épouser la fille de sa maîtresse. Soyons sérieux, et revenons à nos amants.

Molière est généreux, il comble Armande de cadeaux. Il l'entoure de soins. Il est à ses pieds et, ma foi, assez fier de lui. *L'Ecole des maris* est une réussite totale sur tous les plans, il y a fait sa cour au Roi de la façon la plus audacieuse, en prédisant la naissance du Dauphin. Si le succès l'enchante, la certitude d'avoir fait tout simplement une bonne pièce lui donne de la force. Il tient maintenant le bon bout et il ne le lâchera plus.

Cet homme qui sera si digne, si raisonnable, si grand dans le malheur, laisse à ce moment percer en lui une curieuse exaltation. Celle qui va devenir sa femme l'amène à passer, par ses rêveries, ses réflexions et son amour, du particulier au général.

Pour la première fois il va s'attaquer à un thème qui lui sera toujours cher, celui de la position de la femme dans la société. Parce que Molière aime la femme, il la veut à sa place. Ni académicienne, ni esclave. Molière est le premier féministe. Ses pièces vont prouver que la femme et les enfants sont tenus par l'homme dans un état de dépendance totale qui peut aller jusqu'au martyre. Le ciel et la loi donnent au chef de famille un pouvoir absolu. Il peut sans justification aucune faire enfermer ses enfants dans des couvents-prisons qui sont de véritables maisons de correction. La femme prendra le même chemin sous des prétextes purement formels, seul l'état de veuve (puisque le divorce n'existe pas) assure à la femme son indépendance. C'est pourquoi Célimène sera veuve à vingt ans. C'est pourquoi Elise et Valère risquent vraiment la prison et la potence. C'est pourquoi Marianne implore les austérités d'un couvent.

Dans nombre de ses pièces, Molière démontrera

les différents moyens de faire dire : « oui », à un père. De nos jours, l'évolution des mœurs a affaibli dans l'esprit du public les risques courus par ces jeunes gens. Tout cela ne paraît plus très grave. Ce l'était, ô combien. Seules des lois impitoyables peuvent justifier les ruses déployées par les amants et leurs valets, ruses qui, par contre-coup, d'amorales qu'elles étaient (et qu'elles sont encore) semblent à certains anodines.

Molière frappe fort pour ses premiers coups. Sganarelle a beau n'être qu'un tuteur. Cette Isabelle qui depuis deux mois échange des œillades avec un inconnu, lui envoie des poulets sans lui avoir jamais parlé et s'en va, de nuit, se jeter dans ses bras peut difficilement servir d'exemple. Le mariage finalement justifie tout cela.

Le succès de *L'Ecole des maris* désigne Molière à l'attention du Surintendant Fouquet qui prépare pour le Roi, dans son château de Vaux, une fête splendide. Point de fête sans spectacle. Torelli fait les machines, Le Brun les décorations, Beauchamps les ballets, Pellissier le prologue et Molière la comédie.

« Jamais, écrit-il, entreprise au théâtre ne fut si précipitée que celle-ci, et c'est une chose, je crois toute nouvelle qu'une comédie ait été conçue, faite, apprise et représentée en quinze jours. Je ne dis pas cela pour me piquer de *l'Impromptu* et en prétendre de la gloire, mais seulement pour prévenir certaines gens qui pourraient trouver à redire que je n'aie pas mis ici toutes les espèces de fâcheux qui se trouvent. Je sais que le nombre en est grand, et à la cour et dans la ville, et que, sans épisodes, j'eusse bien pu en composer une comédie de cinq actes bien fournis, et avoir encore de la matière de reste. Mais, dans le peu de temps qui me fut donné, il m'était impossible de faire un grand dessein, et de rêver beaucoup sur le choix de mes personnages et sur la disposition de mon sujet. Je me réduisis donc à ne toucher qu'un petit nombre d'importuns. »

Et le 17 août 1661, dans les jardins de Vaux, Molière en habit de ville ouvre le spectacle et, dans une improvisation qui étonne par son naturel, présente au Roi des excuses sur l'impossibilité d'avoir pu être prêt à temps.

Arrêtons-nous ici quelques instants sur l'un des aspects les moins connus, et pour cause, du génie de Molière : celui de « compère » de revue.

Evidemment ses impromptus sont faits à loisir. Molière possède un charme physique sans lequel il n'est point d'acteur valable quel que soit son emploi. Sa « présence » est extraordinaire. Sa voix chaude. Son regard semble pénétrer jusqu'au fond de l'âme de chaque spectateur. Ce rôle de présentateur l'amuse. Il est en marge de l'ouvrage qu'il soumet au public. Par lui, cependant, il commence de séduire et lorsque le rideau se lève sur la pièce, le personnage dont il a la responsabilité a déjà gagné, grâce au talent de l'annonceur, beaucoup de la sympathie de la salle.

Déjà en 1658, c'est Molière orateur qui avait enlevé la partie, lors de la fameuse soirée de présentation au Roi. Sans la faconde charmante, spirituelle, envoûtante, irrésistible du chef de la troupe, la soirée se fût achevée sur une honnête représentation de *Nicomède*. Mais l'arme secrète était là ; on la sortit, comme par hasard. Les acteurs étaient prêts dans la coulisse. Ils furent brillants, certes, mais sans la harangue de Molière ils n'auraient pas eu la possibilité de paraître ; et l'on peut hardiment affirmer que

Le Docteur amoureux, même s'il avait été au programme de la soirée n'aurait pas rencontré pareil succès sans le préambule, fait à l'improviste par son auteur.

Il renouvelle au château de Vaux son exploit de la salle des gardes et sa harangue terminée

L'agréable nymphe Béjart
Quittant sa pompeuse coquille
Y joue en admirable fille.

C'est de Madeleine qu'il s'agit encore. Elle a maintenant quarante-trois ans. Elle n'a pas perdu son charme qui, ce jour-là, frappe les esprits et les cœurs. La Fontaine, qui assiste à la représentation, en parle dans une lettre à Maucroix. C'est le dernier succès de femme de Madeleine Béjart.

Molière marque plusieurs points : d'abord, et il le constate lui-même, la forme du spectacle est originale : « C'est un mélange qui est nouveau pour nos théâtres et dont on pourrait chercher quelques autorités dans l'antiquité, et comme tout le monde l'a trouvé agréable, il peut servir d'idée à d'autres choses qui pourraient être méditées avec plus de loisir. »

Les bases de l'opéra, de la comédie-ballet et même du spectacle total viennent d'être jetées.

Il donne dans le goût du Roi qui vient d'instituer une « Académie royale de danse ».

Il se signale par une prompte obéissance. Louis XIV dit à Molière au sortir de la première représentation, en lui montrant M. de Soyécourt : « Voilà un grand original que tu n'as pas encore copié. » Il n'en faut pas davantage. Vingt-quatre heures après, la fameuse scène du chasseur est écrite, apprise et jouée.

« Il n'y a personne, écrit Molière, qui ne sache pour quelle réjouissance la fête fut composée et cette fête a fait un tel éclat qu'il n'est pas nécessaire d'en parler. »

Chacun sait en effet que vingt jours après, Fouquet est arrêté, jugé et emprisonné pour la vie.

Le Roi, qui conservera toujours quelque suspicion à l'égard des protégés de Fouquet, non seulement en exemptera Molière, mais songera dès ce moment à se l'attacher davantage.

Enfin, et ce n'est pas la moindre satisfaction, il se révèle à La Fontaine, qui s'abandonne d'emblée à l'enthousiasme :

Cet écrivain par sa manière
Charme à présent toute la Cour
De la façon que son nom court
Il doit être par delà Rome
J'en suis ravi, car c'est mon homme
Nous avons changé de méthode
Jodelet n'est plus à la mode
Et maintenant il ne faut pas
Quitter la nature d'un pas.

Si nous oublions, à l'instar de La Grange, l'échec de *Don Garcie,* c'est une année faste pour Molière. *L'Ecole des maris* et *Les Fâcheux*, qui sont repris au Palais-Royal le 4 novembre, « avec les agréments », connaissent un succès éclatant, une approbation générale. Les ennemis de Molière si prompts à crier au plagiat ne renouvellent pas leurs accusations. Le Roi, à peine revenu des Pyrénées, se fait jouer les pièces nouvelles. Sa faveur se fait de jour en jour plus grande.

L'importance des *Fâcheux* est considérable dans la vie de Molière, c'est la première comédie faite sur commande, il y met pour la première fois des courtisans en scène, c'est son premier essai d'un genre dans lequel il excellera : la comédie-ballet.

Cette fois il souffle un peu. L'année 1661 s'achève sans pièce nouvelle et à l'aube de 1662 les préparatifs de son mariage, qui approche, l'occupent pleinement. Il épouse Armande Béjart le 20 février qui se trouve être le lundi gras. La cérémonie ne procure pas de vacances à la troupe qui le même jour joue *Les Fâcheux* en visite et *Ercole amante* au Palais-Royal.

D'après le contrat de mariage signé le 24 juin 1662. Marie Hervé, « mère » d'Armande, donne aux époux la somme considérable de dix mille livres. Deux ans plus tard, quand son autre fille (une vraie celle-là), Geneviève, dite Mlle Hervé, épousera Léonard de Loménie elle n'aura droit qu'à cinq cents livres en argent et trois mille cinq cents en habits, linge et meubles.

Pourquoi cette différence choquante entre ses enfants ?

Et d'abord d'où la veuve de Joseph Béjart tire-t-elle ces richesses ? A la mort de son mari, elle avait par devant le lieutenant civil renoncé à sa succession (chargée seulement de grosses dettes) pour elle et pour ses enfants ; l'acte officiel la nomme tutrice de Joseph, Madeleine, Geneviève, Louis, et d'une petite non baptisée. Cela sent le mystère et l'imposture. La coutume voulait que l'on baptisât les enfants dès leur naissance. Est-il concevable que le « père » d'Armande, puisque c'est d'elle qu'il s'agit, soit mort sans connaître le prénom de sa fille ?

Non ! L'on rajoute l'encombrante nouvelle-née en

se passant de l'approbation du défunt. Dans les actes postérieurs on se rapportera toujours à cette renonciation et peu à peu le faux deviendra authentique. Depuis la mort du vieil huissier, Marie Hervé vit pauvrement. Ses enfants et surtout Madeleine assurent sa subsistance. D'où peut-elle sortir ce sac de dix mille livres tournois ? Tout simplement de la bourse de Madeleine Béjart, la seule personne fortunée de la famille et qui donne là une preuve supplémentaire de sa maternité. Brossette sera d'ailleurs formel quand il écrira plus tard : « M. Despréaux m'a dit que Molière avait été amoureux premièrement de la comédienne Béjart dont il avait épousé la fille. »

Au mois d'avril, Jean Magnon, un des premiers auteurs joués par l'Illustre Théâtre est assassiné sur le pont Neuf.

Jean-Baptiste Poquelin qui a quarante ans jette en cette circonstance un regard sur son passé.

Montfrin, Pézenas, Tristan l'Hermite, Gassendi, Magnon. Tout cela est déjà loin.

Il commence d'écrire une nouvelle comédie sur le thème de l'éducation des femmes et sur celui de leur instruction. Il y met volontairement ou non beaucoup de lui-même. S'il est absurde de prétendre que Molière n'a fait que se voir dans ses œuvres, il ne faut pas oublier que La Grange affirme qu'il s'y est peint lui-même en plusieurs endroits.

Nul doute que dans *L'Ecole des femmes,* Molière montre tout au long l'évolution de ses sentiments. Son personnage, moins poussé, bien sûr, que celui d'Arnolphe, se trouve être dans la même situation. Molière d'abord n'aime pas Armande. Il lui est très attaché, il a pour elle affection et tendresse, du désir mais point d'amour. Il n'y songe même pas et sa souffrance est d'autant plus grande qu'elle était plus imprévisible.

L'amour d'Arnolphe naît en ce moment précis de la fin du troisième acte, où après avoir appris la trahison délibérée d'Agnès il s'écrie :

Et cependant je l'aime après ce lâche tour
Jusqu'à ne me pouvoir passer de cet amour.

La pièce pivote, Molière, lui, bascule dans la passion sans savoir comment. Le mariage a changé la femme. Elle lui résiste, lui répond, l'irrite. Il réagit maladroitement. Comme Arnolphe il découvre trop tard que l'enfant s'est faite maîtresse. Comme Arnolphe il a beau dire :

Quoi ! j'aurai dirigé son éducation
Avec tant de tendresse et de précaution,
Je l'aurai fait passer chez moi dans son enfance
Et j'en aurai chéri la plus grande espérance,
Mon cœur aura bâti sur ses attraits naissants
Et cru la mitonner pour moi durant treize ans...

Rien n'y fait : Agnès-Armande ne manifeste aucune émotion. Ses dix-neuf ans sont un roc que ni l'humeur, ni l'esprit conciliant de son mari n'arrivent à entamer.

Cependant la pièce avance. Parmi tant de chefs-d'œuvre, si par malheur il devait n'en rester qu'un, nous pensons que ce devrait être celui-là. Molière ne se hâte pas, il va consacrer toute son année à rimer ses cinq actes.

La troupe grossie de Brécourt et de La Thorillière

(qui viennent du Marais) et de Mlle Molière, part pour Saint-Germain-en-Laye le 24 juin et y reste jusqu'au 11 août. L'on joue treize fois devant Leurs Majestés, ce qui ne laisse pas que d'accroître l'irritation de la troupe rivale. Floridor et Montfleury viennent au nom de l'Hôtel de Bourgogne solliciter la Reine mère, de leur procurer l'avantage de servir le Roi, la troupe de Molière, leur donnant, dit La Grange, « beaucoup de jalousie. »

Enfin l'on arrive assez tranquillement à la première représentation de *L'Ecole des femmes* le 26 décembre 1662. Dire que la pièce triomphe serait modeste, elle ébranle littéralement Paris. Les ennemis de Molière suffoqués, abasourdis, ivres de rage rassemblent leur énergie quelque peu endormie, et tirent sur lui à boulets rouges. Ce sera la plus grande bataille de sa carrière sur le plan professionnel. Elle ne va d'ailleurs pas arrêter les recettes. Comme le proclamera son auteur un peu plus tard : « Bien des gens ont frondé d'abord cette comédie mais les rieurs ont été pour elle et tout le mal qu'on en a pu dire n'a pu faire qu'elle n'ait eu un succès dont je me contente. »

De Visé mélange à plaisir la critique et les louanges. Après avoir vanté comme à contrecœur et pour faire la preuve de son objectivité le jeu des acteurs et les endroits de la pièce qui sont inimitables, il écrit : « La comédie de *L'Ecole des Femmes* a produit des effets tout nouveaux : tout le monde l'a trouvée méchante et tout le monde y a couru ; les dames l'ont blâmée et l'ont été voir ; elle a réussi sans avoir plu et elle a plu à plusieurs qui ne l'ont pas trouvée bonne ; mais, pour vous dire mon sentiment, c'est le sujet le plus mal conduit qui fût jamais et je suis prêt de soutenir qu'il n'y a point de scène où l'on ne puisse faire voir une infinité de fautes.

« Je suis toutefois obligé d'avouer, pour rendre justice à ce que son auteur a de mérite, que cette pièce est un monstre qui a de belles parties»... etc.

Cette « obligation d'avouer » est assez significative.

Jusqu'à présent, Molière n'a répondu à ses rivaux que par de nouveaux succès. Cette fois il veut en finir, et puisqu'on le force à combattre, il combattra et sur tous les terrains. Il annonce tout de suite une petite comédie qui fera justice à tous ceux qui daubent sur cette « méchante rapsodie de *L'Ecole des femmes*. A ceux qui affirment que « ces sortes de comédies ne sont pas à proprement parler des comédies, et qu'il y a une grande différence de toutes ces bagatelles à la beauté des pièces sérieuses », il répond : « Je trouve qu'il est bien plus aisé de se guinder sur de grands sentiments, de braver en vers la Fortune, accuser les Destins et dire des injures aux Dieux, que d'entrer comme il faut dans le ridicule des hommes, et de rendre agréablement sur le théâtre des défauts de tout le monde. Lorsque vous peignez des héros, vous faites ce que vous voulez. Ce sont des portraits à plaisir, où l'on ne cherche point de ressemblance ; et vous n'avez qu'à suivre les traits d'une imagination qui se donne l'essor, et qui souvent laisse le vrai pour attraper le merveilleux. Mais lorsque vous peignez les hommes, il faut peindre d'après nature. On veut que ces portraits ressemblent ; et vous n'avez rien fait, si vous n'y faites reconnaître les gens de votre siècle. En un mot, dans les pièces sérieuses, il suffit pour n'être point blâmé, de dire des choses qui soient de bon sens et bien écrites ; mais ce n'est pas assez dans les autres il y faut plaisanter ; et c'est une étrange entreprise que celle de faire rire les honnêtes gens. » Il foudroie les marquis ricaneurs d'un : « Eh morbleu, Messieurs, taisez-vous quand Dieu ne vous a pas donné la connaissance d'une chose. »

A ceux qui reprochent à la pièce d'être toute en récits et en monologues et « qu'il ne s'y passe point d'action », il prouve que les récits eux-mêmes y sont des actions et que la beauté du sujet de *L'Ecole des femmes* consiste dans cette confidence perpétuelle. Il lui paraît assez plaisant « qu'un homme qui a de l'esprit et qui est averti de tout par sa maîtresse, et par un étourdi qui est son rival, ne puisse avec cela éviter ce qui lui arrive ». On ne peut mieux et de façon plus concise faire l'analyse de la pièce.

Mais on multiplie les attaques sur la forme avant d'aborder le fond. La pièce pécherait selon certains contre toutes les règles de l'art. Molière n'a jamais jusqu'ici cherché à justifier sa forme, il a médité sur les règles et il les observe. Il sait que la liberté dans l'art ne peut naître que de la contrainte, il lance à ses détracteurs cette tirade pleine de bon sens et de mauvaise foi : « Si les pièces qui sont selon les règles ne plaisent pas et que celles qui plaisent ne soient pas selon les règles, il faudrait de nécessité que les règles eussent été mal faites. Ne consultons dans une comédie que l'effet qu'elle fait sur nous. Laissons-nous aller de bonne foi aux choses qui nous prennent par les entrailles, et ne cherchons point de raisonnements pour nous empêcher d'avoir du plaisir. »

Evidemment tout cela ne convainc personne. Tant d'intelligence, tant de superbe ne font qu'exaspérer ses ennemis et l'on assiste à une guerre de comédie qui pour n'être pas toujours de bon goût, a du moins le mérite d'une espèce de franchise. Cela vaut mieux que les échos non signés.

C'est De Visé qui ouvre les hostilités à l'Hôtel de Bourgogne, avec sa comédie *Zélinde*... que les comédiens ne jouent pas parce qu'ils la trouvent trop tiède. Boursault, que Molière avait quelque peu égratigné dans la *Critique* sous le nom de Lysidas, remarque (et il n'est pas le seul) combien le verbe peindre revient souvent sous la plume de Molière. Il n'est question que de peinture et de portraits. Il va toujours répétant que son dessein est de peindre les mœurs sans vouloir toucher aux personnes. Il se contredira d'ailleurs au moment du *Tartuffe* lorsqu'il parlera des célèbres originaux qui lui ont servi de modèle. Ce besoin de peindre tournant à la manie, Boursault croit voir le défaut de la cuirasse et écrit *Le Portrait du Peintre*. Molière se rend à l'Hôtel de Bourgogne et assiste tranquillement à la représentation de cette pièce dans laquelle il est joué et ridiculisé.

Le fait est mentionné par Villiers dans *La Vengeance des Marquis*. Et comme Molière a dit que trente cocus iraient voir *Le Portrait du Peintre*, Villiers reprend : « Il a plus été de cocus qu'il ne dit ; j'y en comptais un jour jusques à trente et un. Cette représentation ne manqua pas d'approbateurs, trente de ces cocus applaudirent fort et le dernier fit tout ce qu'il put pour rire mais il n'en avait pas beaucoup d'envie. »

On n'a pas plus de tact. Montfleury fils, lui, dans son *Impromptu de l'Hôtel de Condé* fait une charge de Molière comédien :

Il vient le nez au vent
Les pieds en parenthèse et l'épaule en avant,
Sa perruque, qui suit le côté qu'il avance,
Plus pleine de lauriers qu'un jambon de Mayence
Les mains sur les côtés d'un air peu négligé
La tête sur le dos comme un mulet chargé,
Les yeux fort égarés, puis débitant ses rôles
D'un hoquet éternel, sépare ses paroles.

Tout cela soulage peut-être la bile de ces envieux ; mais leur but n'est pas atteint. *L'Ecole des femmes* est jouée trente fois en deux mois, chiffre énorme pour l'époque.

La guerre se transporte sur un autre terrain, et l'on commence à faire circuler des bruits infâmes, qui viennent jusqu'à l'oreille du Roi. C'est alors que Molière se fâche. Avec l'approbation de sa Majesté, peut-être même sur son ordre : cinq mois après *La Critique,* il joue *L'Impromptu de Versailles.*

Cette fois plus de ménagements, plus d'explications théoriques, plus de discussions spirituelles sur la forme. Molière gifle, il rend coups pour coups. Il éclate d'indignation, ses nerfs sont tendus à craquer. En guise de hors-d'œuvre, il ridiculise de façon cinglante le jeu des acteurs de l'Hôtel de Bourgogne. Il les imite. Il fait cruellement rire à leurs dépens. Rien ne peut être plus pénible à un tragédien. Il les menace d'une comédie où il les mettra tous en scène. Il les avertit que, contrairement à ce qu'ils peuvent prétendre, sa veine n'est pas épuisée, « qu'il aura toujours plus de sujets qu'il n'en voudra, et que tout ce qu'il a touché jusqu'ici n'est rien que bagatelle au prix de ce qui reste ».

Car il a percé les desseins de ses ennemis. « Ils

veulent, dit-il, me détourner des autres ouvrages que j'ai à faire. » C'est une chose admirable chez Molière que cette sereine confiance dans l'œuvre qu'il porte en lui.

Comme il sait que toute cette lutte n'a pour origine que son succès et ses recettes, il rappelle à ses rivaux qu'ils ont répondu : « Qu'il nous rende toutes les injures qu'il voudra, pourvu que nous gagnions de l'argent. » N'est-ce pas la marque d'une âme fort sensible à la honte ? et ne me vengerais-je pas bien d'eux en leur donnant ce qu'ils veulent bien recevoir? Puis il les écrase de son mépris : « Le plus grand mal que je leur aie fait, c'est que j'ai le bonheur de plaire un peu plus qu'ils n'auraient voulu ; et tout leur procédé, depuis que nous sommes venus à Paris, a trop marqué ce qui les touche. Mais laissons-les faire tant qu'ils voudront ; toutes leurs entreprises ne doivent point m'inquiéter. Ils critiquent mes œuvres, tant mieux, et Dieu me garde d'en faire jamais qui leur plaise ! Ce serait une mauvaise affaire pour moi. »

Au passage et pour rendre sa pièce plus vivante, plus pittoresque, il fait état de ses relations avec sa femme sur lesquelles on jase beaucoup. Connaissant sa passion du théâtre et son besoin de se donner toujours le premier rôle quel qu'en soit l'emploi, elle lui lance : « Vous devriez faire une comédie où vous auriez joué tout seul. » Qu'il coupe d'un brutal : « Taisez-vous ma femme vous êtes une bête. » A quoi elle répond : « Le mariage change bien les gens, vous ne m'auriez pas dit cela il y a dix-huit mois. » La rudesse de Molière, qui étale ses scènes de ménage, n'est au fond qu'une façon de faire sa cour à Armande, de lui demander pardon. Cela ne reflète pas du tout ce qui se passe chez eux. La chose est fréquente. Tel est le loup en société qui devient agneau dans l'intimité. Armande semble se plaindre discrètement. Elle n'a pas encore joué de grands rôles. C'est Mlle de Brie qui a créé celui d'Agnès et Mlle Molière vient seulement de paraître dans le rôle court, mais piquant d'Elise de *La Critique*.

C'est d'ailleurs d'Armande et de lui qu'il est surtout question dans *L'Impromptu*. Et cette calomnie infâme que l'on répand dans Paris, il ne la passe pas sous silence.

Au fait quelle est-elle donc ?

Laissons parler Racine : « Je n'ai point vu *L'Impromptu* ni son auteur depuis huit jours... Montfleury a fait une requête contre Molière et l'a donnée au Roi. Il l'accuse d'avoir épousé la fille et d'avoir autrefois couché avec la mère. Mais Montfleury n'est pas écouté à la cour... »

Cette lettre de Racine, son fils Louis, pieux et pudibond, la rapportera plus tard, et, dans son souci d'en adoucir les termes (le mot « couché » le choquant fort), il dira : « On accuse Molière d'avoir épousé sa propre fille » ; ce qui est infiniment plus grave que d'avoir simplement aimé la mère.

Si Montfleury était écouté, cette dernière accusation, celle qu'il porte sous des détours hypocrites, mènerait Molière à la potence ou au bûcher. C'est pousser loin la jalousie professionnelle. C'est acheter bien cher les recettes toujours hypothétiques d'un théâtre.

Et d'abord, qui est la mère d'Armande Béjart ? La calomnie dont nous venons de faire état la désigne clairement : c'est Madeleine. Pendant trois siècles on discutera afin de savoir si Mlle Molière était fille ou sœur de Madeleine. L'accusation infâme, le doute jeté sur le nom du père n'étaient possibles à l'époque que s'il n'y avait pas la moindre équivoque sur celui de la mère.

Or jamais personne ne pense à accuser Molière d'avoir eu pour maîtresse la grand-mère de sa femme, parce que personne ne croit Armande fille du vieux Béjart et de Marie Hervé. D'ailleurs Molière et Madeleine Béjart pourraient, pour se laver du crime dont on les accuse, exhiber l'acte de juin 1643 dans lequel Armande y est reconnue fille de Joseph Béjart et de Marie Hervé.

S'ils ne le font pas c'est que cet acte est un faux et qu'il est de notoriété publique qu'Armande est fille de Madeleine.

Tout le prouve :

L'acte de mariage de Molière qui ne fait pas mention des parents de l'épousée. L'âge de Marie Hervé au moment de la naissance d'Armande (elle avait plus de cinquante ans). L'état physique du vieux Béjart, qui mourra peu après la naissance de l'enfant. Les assertions de l'auteur de *La fameuse Comédienne* (pamphlet dirigé contre la Molière) qui publie « qu'on retire l'enfant de chez une dame, qui ayant conçu pour elle une amitié fort tendre, fut fâchée de l'abandonner entre les mains de sa mère, pour aller suivre une troupe de comédiens errants ».

Or Madeleine est comédienne et errante. Marie Hervé était femme d'huissier et ne quittait pas Paris.

Les parrain et marraine du premier enfant de Molière et d'Armande seront le Roi et Madame. Ceux du second seront, comme la coutume le prescrit, son grand-père et sa grand-mère, on donnera même leur prénom à la petite fille qui sera baptisée Madeleine, Esprit. Madeleine Béjart et Esprit de Modène réapparaîtront vingt-trois ans après et viendront enfin signer l'acte de naissance d'Armande. Pourquoi sans cette raison majeure retrouverait-on le comte aux côtés de Madeleine qui aura à ce moment quarante-sept ans ?

Enfin Madeleine mourante fera d'Armande sa légataire universelle.

N'importe, la calomnie cherche à s'épanouir dans Paris et surtout à la cour. Elle n'atteindra pas directement Molière, mais il en restera toujours quelque chose.

Une rencontre surprenante de la destinée placera un jour le véritable père d'Armande dans une situation absolument identique. M. de Modène qui avait été longtemps l'amant de la femme du très peu scrupuleux Vauselle, frère de Tristan l'Hermite, épousera plus tard la fille de celle-ci. Nul ne songera à lui en faire grief, à insinuer un rapprochement criminel, à rappeler des souvenirs compromettants.

Avec Molière tout est différent, c'est à croire que chacun de ses ennemis tenait la chandelle. Le mot soupçon est vite banni parce que trop bénin, on affirme, on assomme, on exécute. Ah ! si l'on pouvait fournir des preuves. En la circonstance le mot du père de Théodore prend ici toute sa valeur : « Heureusement, on n'est jamais sûr. »

A côté de ce torrent de boue, *L'Ecole des femmes* offre des satisfactions très hautes à son auteur. Loret qui a fini par lui être très favorable, publie quoique avec prudence et sans prendre parti, dans sa *Muse historique* que :

L'on joua l'Ecole des femmes,
Qui fit rire Leurs Majestés
Jusqu'à s'en tenir les côtes :
Pièce aucunement instructive,
Et tout à fait récréative ;
Pièce dont Molière est auteur,
Et même principal acteur ;
Pièce qu'en plusieurs lieux on fronde,
Mais où pourtant va tant de monde...
Voilà, dès le commencement,
Quel fut mon propre sentiment,
Sans être pourtant adversaire
De ceux qui sont d'avis contraire,
Soit gens d'esprit, soit innocents ;
Car chacun abonde en son sens.

Chevalier, comédien du Marais, et qui tient sans doute à montrer que tous les acteurs ne sont pas comme ceux de l'Hôtel de Bourgogne écrit dans sa comédie des *Amours de Cabotin* :

Que pour plaire aujourd'hui
Il faut être Molière, ou faire comme lui.

Enfin en guise d'étrennes Molière, le 1er janvier 1663, reçoit de Boileau, les fameuses stances :

Enfin mille jaloux esprits
Molière...

Stances qui se terminent par :

Laisse gronder tes envieux
Ils ont beau crier en tous lieux
Qu'en vain tu charmes le vulgaire
Que tes vers n'ont rien de plaisant
Si tu savais un peu moins plaire
Tu ne leur déplairais pas tant.

D'un autre côté Pierre Corneille, amertumé il est vrai par le récent échec de sa *Sophonisbe*, voit d'un mauvais œil l'attaque directe des auteurs sérieux, que Molière met définitivement au-dessous des comiques, et le croc-en-jambe fait à son frère au premier acte de *L'Ecole des femmes.*

Chrysale on s'en souvient dit à Arnolphe qui se fait impudemment nommer M. de la Souche :

Je sais un paysan qu'on appelait Gros-Pierre,
Qui n'ayant pour tout bien qu'un seul quartier de [terre
Y fit tout à l'entour faire un fossé bourbeux,
Et de Monsieur de l'Isle en prit le nom pompeux.

Or Thomas Corneille, qui n'y a aucun droit, se fait appeler Corneille de l'Isle, ou même Thomas de l'Isle. L'allusion est comme on le voit sans détours. Molière a de la mémoire il se souvient des commentaires de Thomas après la première des *Précieuses.* Décidé à ne rien laisser passer, il répond à tous.

Cependant, sans qu'il soit fatigué le moins du monde par cette lutte sournoise ou directe de chaque jour, il décide, car il a tout de même autre chose à faire, d'y mettre un point final, et s'écrie : « Je ne prétends faire aucune réponse à toutes leurs critiques et contre-critiques. Qu'ils disent tous les maux du monde de mes pièces, j'en suis d'accord. Je leur abandonne de bon cœur mes ouvrages, ma figure, mes gestes, mes paroles, mon ton de voix, et ma façon de réciter, pour en faire et dire tout ce qu'il leur plaira, s'ils en peuvent tirer quelque avantage je ne m'oppose point à toutes ces choses, et je serai ravi que cela puisse réjouir le monde. Mais, en leur abandonnant tout cela, ils me doivent faire la grâce de me laisser le reste et de ne point toucher à des matières de la nature de celles sur lesquelles on m'a dit qu'ils m'attaquaient dans leurs comédies. »

Et il conclut par un insolent :

« Et voilà toute la réponse qu'ils auront de moi. »

C'est fini. La guerre professionnelle est terminée. Elle ne reprendra jamais ouvertement. Une autre bien plus terrible va commencer. Molière va y jouer sa vie et son honneur. Puisqu'il faut à tout prix l'abattre on va maintenant tenter de l'assassiner avec un fer sacré.

LA POLITIQUE DU ROI

V

LA POLITIQUE DU ROI

C'EST à dessein que l'on mélange tout, le théâtre, les mœurs, la foi, le Roi, Dieu et la religion. Molière a déjà senti le danger. Il a dédié sa *Critique* à Anne d'Autriche : « Votre Majesté, Elle, Madame, qui prouve si bien que la véritable dévotion n'est point contraire aux honnêtes divertissements ; qui, de ses hautes pensées et de ses importantes occupations, descend si humainement dans le plaisir de nos spectacles et ne dédaigne pas de rire de cette même bouche dont Elle prie si bien Dieu. »

Déjà dans *Zélinde,* Donneau de Visé a pour la première fois soulevé le problème religieux au sujet de l'œuvre de Molière : « Le sermon d'Arnolphe fait à Agnès et les dix maximes du mariage choquent nos mystères. »

La perfidie est d'autant plus flagrante qu'il y a dans *L'Ecole des femmes* une onzième maxime qu'Agnès s'apprête à lire quand elle est interrompue par Arnolphe. Mais Visé insiste sur le nombre dix et fait allusion aux dix commandements.

Le trait est dangereux. Il n'a pas échappé à Molière puisque celui-ci reprend la phrase de Visé presque mot pour mot dans *La Critique*.

On ne peut nier d'ailleurs que pour des âmes pieuses le sermon d'Arnolphe au début du troisième acte puisse passer facilement pour une parodie de catéchisme. Il est donc beaucoup plus facile de créer ce qu'on appellerait maintenant un courant d'opinion, à propos de la tendance libertine de Molière, qu'au sujet de la naissance de sa femme.

Enfin le prince de Conti va partout disant : « qu'il n'y a rien de plus scandaleux que la cinquième scène du second acte », celle du petit chat, celle du ruban, celle du le... qui fait dire à Climène qu'il y a là une obscénité qui n'est pas supportable. Le prince de Conti est écouté, et écouté en haut lieu. Sa « conversion » l'a encore rapproché de la cour. Ce n'est pas un confrère envieux qui distille son venin, c'est un prince du sang qui s'indigne.

Conti est maintenant en possession d'un pouvoir redoutable. Adversaire acharné du théâtre, il va publier un très sévère *Traité de la Comédie et des spectacles*. Il a demandé en juillet 1660 son affiliation à la Compagnie du Très Saint Sacrement de l'Autel. Bientôt il en sera le secrétaire, donc le véritable chef.

Nous avons jusqu'ici pour, plus de clarté, borné la vie de Molière à ses aspects intimes et professionnels. L'heure est venue d'expliquer comment la politique va causer sa perte et pour cela un retour en arrière s'avère nécessaire.

Et d'abord, qu'est-ce que cette Compagnie du Très Saint Sacrement de l'Autel, que l'on connaît successivement sous le nom de la Compagnie, de la Cabale des dévôts et même de « la Cabale » tout court ?

En 1629, le duc de Ventadour consacre ses efforts à la conversion des huguenots. Il pille quelques villages, brûle, pend et écartèle. A quelque temps de là, il demande à sa femme d'offrir à Dieu leur amour et de vivre désormais chastement. La duchesse entre alors au Carmel et le duc se fait ordonner prêtre. Il n'a plus qu'un seul but : travailler au triomphe de l'Eglise. C'est alors qu'il fonde avec quelques amis la Compagnie qui va se rendre célèbre.

Elle a pour objet... « de faire honorer partout le Saint Sacrement et qu'on lui rende tout le culte et le respect qui sont dus à la Divine Majesté, à la différence des congrégations et des confréries qui s'appliquent à l'honorer par des dévotions et des exercices de piété ».

Ce subtil distinguo sent déjà son Tartuffe.

Le secret est la règle absolue et première de la Compagnie, qui prescrit de changer constamment les heures et les lieux de réunion. Le secret s'étend même aux princes. La discipline est rigoureuse, l'obéissance passive. Chacun est astreint à une confession publique qui tient à la fois du rapport et de la délation. Les pauvres doivent être signalés, les blasphémateurs, les prostituées, les filles coupables, les femmes adultères dénoncées. Le zèle des compagnons est au début infatigable, leur charité immense. Ils fondent l'hôpital des galériens, ils participent à l'administration de l'Hôtel-Dieu, consacrent temps et argent aux prisons. Ils ont les premiers l'idée de cet hôpital général auquel M. Vincent consacrera une partie de sa vie.

On ne comprendrait pas sans cela que la Cabale

eût pu trouver tant d'honnêtes gens pour la défendre contre Molière.

Parce que grande est leur charité, grand est leur besoin d'argent et les compagnons pour s'en procurer s'introduisent dans les familles. « Il n'y a pas, dit Allier, un corps officiel, pas un personnage important qui n'ait à côté de lui quelqu'un chargé de le circonvenir, de le pousser délicatement où la Compagnie veut qu'il aille, de solliciter de lui l'activité qu'elle désire. » Les compagnons, sous prétexte d'en réformer les mœurs, « s'impatronisent » dans les foyers et acquièrent la réputation de capteurs d'héritages.

Des princes, des gens d'église, de robe ou d'épée, des marchands, des bourgeois, des artisans et même certains individus noyés dans la lie du peuple adhèrent à la Cabale. L'araignée tisse sa toile et l'étend sur toute la France. Le Midi en particulier est envahi par la compagnie et précisément à l'époque où Molière y séjourne. Enfin Paris est atteint. « Paris, écrit en août 1660 le célèbre médecin Guy Patin, est plein aujourd'hui de faux prophètes. Nous avons des scribes, des pharisiens, des fripons et des filous même en matière de charité... Tous ces gens-là se servent du nom de Dieu pour faire leurs affaires et tromper le monde. La religion est un grand manteau qui met bien des fourbes à couvert. »

Force gens veulent être dévots mais personne ne veut être humble, dira La Rochefoucauld.

Ces gens qui par une arme à l'intérêt soumise,
Font de dévotion métier et marchandise.

La Reine mère, Anne d'Autriche, écrit à leur propos, en septembre de la même année : « Ils sont plus à craindre et encore plus méchants que les jansénistes. »

Un curé de Saint-Maclou à Rouen, nommé Pierre Dufour, persécuté par la Cabale, a le courage de lui tenir tête. Dans un « mémoire pour faire connaître l'esprit et la conduite de la Compagnie », il dénonce le scandale qui s'est produit à Caen le 4 février 1660. « Les prêtres avaient retroussé sur leur tête le derrière de leur soutane qui était retenue autour de leur cou par des liens de paille. Quelques-unes des femmes avaient la tête nue et les cheveux épars. Parfois sur la route ils ramassaient des immondices d'animaux et s'en souillaient le visage. Les plus zélés mangeaient même de ces ordures, disant qu'il fallait se mortifier le goût... Ils arrivèrent à Argentan dans cet équipage et se mirent à parcourir les rues, deux par deux, en criant que la foi périssait, que la foi se perdait et que quiconque voulait se sauver devait partir pour le Canada ! ! ! »

Cléante parlera des chrétiens dont « la dévotion est humaine et traitable ».

« Ont-ils un ennemi, poursuit Dufour, ils tâchent de trouver un dénonciateur qui l'accuse, sans faire aucunement paraître qu'ils prennent part à cette poursuite. Par le moyen de leurs intrigues ils tentent de le décrier auprès des puissances afin de surprendre quelque ordre qui tende ou à l'éloigner, ou à le priver de sa liberté, ou à l'interdire de ses fonctions et le rendre inutile en flétrissant sa réputation de quelque matière d'infamie. »

On croit toujours entendre parler Cléante :

Et pour perdre quelqu'un, couvrent insolemment
De l'intérêt du ciel leur fier ressentiment.

Il y a mieux : un certain Garaby de la Luzerne publie une fort longue satire en vers contre la Cabale. Nous en extrayons quelques vers particulièrement significatifs :

Il me faut, me dis-tu, quel qu'employ convenable,
Où tu trouves ton compte et qui soit honorable,
Finement aux dépens du crédule et du sot,
Tu n'as qu'à te pourvoir d'un état de dévot.

Molière traduira : « La profession d'hypocrite a de merveilleux avantages. »

La Luzerne poursuit :

Je n'entends pas dévots de ces gens sans cabale
(le mot est lâché)
Mais de ces Rafinez qui, bien que tenant lieu
D'ouailles seulement en l'église de Dieu,
Sans crainte de troubler la police divine
S'ingèrent toutefois des mœurs de la doctrine.
On les voit ces cagots, baissant les yeux sous cappe
Faire semblant que tout volontiers leur échappe
Et cependant au gré de leur ambition
Faire passer sur tout leur inquisition.

Le mot est terrible. Nous allons bientôt en apprécier la justesse. Molière ne peut pas ignorer cela. Garaby de la Luzerne se vante dans une lettre datée du 10 février 1670 d'avoir été un précurseur ; il y parle de son Tartuf (*sic*) aisné de celui de Molière de sept à huit ans. Comme La Luzerne n'est jamais sorti de Caen, il n'a pu connaître le *Tartuffe* qu'après l'édition faite en 1669. Il rédige donc son pamphlet, à l'époque de *L'Ecole des femmes,* au moment même où Molière va avoir à en découdre avec la Compagnie.

A cette époque Racine écrit à M. Vitart : « M. le prince de Conti se fait furieusement craindre dans la province. Il fait rechercher les vieux crimes qui sont en fort grand nombre. Il fait emprisonner bon nombre de gentilshommes et en a écartelé beaucoup d'autres. Une troupe de comédiens s'était venue établir dans une petite ville proche d'ici ; il les a chassés et ils ont passé le Rhône pour se réfugier en Provence. On dit qu'il n'y a que des missionnaires et des archers à sa queue. Les gens du Languedoc ne sont pas accoutumés à une telle réforme, mais il faut pourtant plier. »

Une brochure publiée en 1661 « pour l'édification des bons et l'avertissement des impies » (on n'est pas plus explicite) indique que sur dix arrêts pris contre les blasphémateurs du nom de Dieu et de la Sainte Vierge, cinq comportent des condamnations à mort, une ordonne la fustigation et le supplice du carcan, trois les galères à temps ou à perpétuité, une enfin le bannissement.

Le mot inquisition avancé par la Luzerne n'est pas trop fort. Les comédiens ne sont pas les moins épargnés. Ce qui surtout va indigner, révolter Molière, lui qui a connu le Conti d'avant la conversion, c'est que le nouveau est bien pire que l'ancien. La Grâce n'est qu'un voile hypocrite qui couvre les choses les plus épouvantables.

Cosnac en témoigne : « Comme l'humeur de ce Prince le porte à prendre toutes choses avec violence, sa dévotion est austère et ses adroits favoris jugent bien qu'ils sont perdus si ils ne suivent point l'inclination de leur maître. Dès lors on voit ces raffinés hypocrites blâmer hautement le service qu'ils pratiquent en secret et servir publiquement chaque jour à la messe de M. le Prince avec une dévotion aussi affectée que peu exemplaire. »

Toute cette tragi-comédie, ce tribunal inquisitorial, ces assemblées secrètes ne passent tout de même pas inaperçus. Le Roi informé depuis longtemps défend les réunions et menace sévèrement les compagnons du Très Saint Sacrement de l'Autel. Peine perdue.

Déjà en 1657, devant la Reine mère qui essayait de les défendre, Mazarin avait dit : « Il est vrai, Madame, qu'ils n'ont rien fait de mauvais jusqu'à présent, mais ils en peuvent faire par leurs grandes intrigues et les correspondances qu'ils ont par toutes les villes du royaume. Tous ces prétendus serviteurs de Dieu sont en réalité des ennemis de l'Etat. En bonne politique, pareille chose ne doit point se souffrir. »

On sait que Colbert va mener sur ce point la politique de son maître. C'était d'ailleurs celle de Richelieu. Ce sera celle de Louis XIV. Roi absolu, il ne l'est pas encore. Il sort à peine des luttes de la Fronde, qui ont failli le chasser du trône. Rassuré, certes, mais plein de rancœur (il en gardera toute sa vie au sujet des frondeurs), il veut abattre toutes les puissances de son royaume qui ne répondent pas directement à son autorité. Il va porter un coup terrible aux jansénistes en cette année 1664 en ordonnant l'arrestation des douze religieuses de Port-Royal. Les protestants auront leur tour vingt et un ans plus tard. La Cabale est plus difficile à cerner, elle est partout, et même là où on n'imagine pas qu'elle puisse être. Dans l'armée, dans la magistrature, à la cour. Elle est insaisissable. Le prince de Conti est un Bourbon, sa personne est sacrée.

Pas question de l'attaquer directement. Cependant

Louis XIV s'irrite de ce que son silence peut être interprété comme une preuve de faiblesse ou, ce qui serait pis encore, comme une preuve d'ignorance. Il lui devient nécessaire de prévenir les coupables et de rassurer l'opinion (car il y en a une), en montrant qu'il est informé et qu'il se prépare à sévir.

« Tout le monde alors, dit Argenson, est si déchaîné contre les dévots qu'on n'ose ni parler, ni reconnaître une bonne œuvre qu'à des amis fort particuliers. » Signalons au passage, qu'au XVIIe siècle le mot dévot a un sens péjoratif.

Il est temps de revenir à Molière. Il a dédié, sous le nom de son libraire Claude Barbin, la première édition de *L'Etourdi* à Messire Armand-Jean de Riants, procureur du Roi au Châtelet, comme il dédiera une édition du *Dépit amoureux* à Monsieur Hourlier, sieur de Méricourt, lieutenant général civil et criminel. Ces deux magistrats avaient probablement traité avec indulgence le jeune comédien de l'Illustre Théâtre et l'auteur, vingt ans après, sait montrer qu'il peut avoir de la mémoire en dehors de la scène.

La dignité et la discrétion sont deux des premières qualités de Molière. Après la disgrâce de Fouquet, il ne se tourne pas comme tant d'autres vers Colbert. Celui-ci lui en marque sa satisfaction par une pension de mille livres.

Chapelain qui est chargé de rédiger les propositions porte alors sur l'auteur de *L'Ecole des femmes* ce jugement singulier : « Molière a connu le caractère du comique et l'exécute naturellement. L'action de ses meilleures pièces est inventée, mais judicieusement. Sa morale est bonne et il n'a qu'à se garder de sa scurrilité. »

C'est en 1664 qu'il écrit *La Gloire du Val-de-Grâce*

qu'il pourrait plus justement intituler *La Gloire de Mignard*. Cette même année, La Mothe le Vayer, ancien précepteur du duc d'Orléans, perd son fils à l'âge de trente-cinq ans. Molière ressent douloureusement la perte de cet ami, de sept ans son cadet et c'est alors qu'il écrit au père : « C'est consoler un philosophe que de lui justifier ses larmes et de mettre ses douleurs en liberté. »

La Mothe le Vayer avait donné son estime à Jean-Baptiste Poquelin et celui-ci lui marquait un respect et une affection également profonds.

Cyrano disait de lui : « J'ai fréquenté pareillement en France, La Mothe le Vayer et Gassendi, le second est un homme qui écrit autant en philosophe que le premier y vit. »

Cependant Molière, qui ne prévoit pas le travail qui va lui être imposé par les événements, achève le premier acte de son *Misanthrope*. Depuis longtemps, il avait terminé une traduction de *Lucrèce*.

L'influence du poète latin se fait sentir dans la plupart de ses œuvres. Ce scepticisme qu'il étale rarement, qu'il dissimule souvent, qui perce à son insu se retrouve dans chaque page de *De Rerum Natura*.

Molière en est imprégné. Son talent, sa prudence et son habileté font qu'il en joue toujours adroitement. Il est constamment en mesure de fournir une interprétation innocente de son texte. Mais il se refuse et se refusera toujours à laisser publier la traduction intégrale qui lui a coûté tant de peine et qui pourrait dans sa position devenir une arme dangereuse aux mains de ses ennemis.

Brossette nous fournit sur ce sujet une preuve très précieuse en même temps qu'il nous renseigne sur la naissance du *Misanthrope* :

« La satire à Molière par Boileau fut faite en 1664. La même année, l'auteur étant chez M. du Broussin avec M. le duc de Vitré et Molière, ce dernier y devait lire une traduction de Lucrèce en vers français qu'il avait faite dans sa jeunesse. En attendant le dîner, on pria M. Despréaux de réciter la satire adressée à Molière, mais après ce récit, celui-ci ne voulut pas lire sa traduction craignant qu'elle ne fût pas assez belle pour soutenir les louanges qu'il venait de recevoir. Il se contenta de lire le premier acte du *Misanthrope* auquel il travaillait en ce temps-là. »

En vain Molière tente-t-il de fuir le terrain sur lequel on veut l'entraîner. Peu à peu, il se voit frappé dans le dos à propos de son métier, par son métier, à travers son métier, par une foule d'ennemis visibles et invisibles.

Et brusquement, l'accusation d'impiété prend corps et se précise.

Devant une attaque aussi soudaine, aussi générale, aussi injuste, il réagit mal. Nous entendons par là qu'un homme conscient des dangers qu'il court doit d'abord les éviter et non pas en attirer de nouveaux. Si Molière n'était pas étranglé par la rage et l'indignation devant tant d'infamies, il raisonnerait avec prudence, il abandonnerait pour un temps le sujet et, pour dérouter l'adversaire écrirait quelque « Avare » ou quelque « Bourgeois gentilhomme », mais sa bonne foi, pour son malheur, le fait s'enfoncer dans la lutte.

Quand une fois la bataille est à ce point engagée, l'esprit surchauffé est souvent incapable de penser à la retraite. Molière devrait reculer. La raison, son bonheur, le lui commandent. Mais pourquoi reculerait-il ? Il mène le bon combat, il se sent fort de ses seules armes et de plus on l'y pousse avant de le lui commander.

Le Roi n'ignore pas les attaques dont Molière est l'objet sur le sujet de la religion. Il l'innocente tout de suite. Plût à Dieu qu'il s'en fût tenu là. Mais l'ampleur du bruit fait naître dans son esprit un dessein machiavélique. Molière que sa foi, son indignation et son esprit combatif ont déjà lancé dans la bataille, va se trouver soudain, sur l'ordre du Roi, rasséréné.

Paradoxalement, ce qui devrait le protéger va le compromettre davantage. Luttant seul et pour lui seul, il aurait gagné ou perdu, mais la guerre un jour aurait pris fin. Luttant pour le Roi, il rassemble autour de lui des haines qui ne s'apaiseront même pas après sa mort.

Le siècle est compliqué. Il est secret. Le Roi lui-même a chez ses sujets de puissants ennemis et parmi eux les fameux compagnons. C'est alors qu'il commande à Molière de mettre ces gens abominables sur le théâtre.

Le fait peut paraître surprenant, mais il n'est pas douteux. Le père Rapin dit très précisément dans ses Mémoires à propos de la Cabale : « Ceux-mêmes qui en furent devinrent odieux à la cour par l'affectation qu'ils eurent de donner ou de faire donner des avis au cardinal sur sa conduite, par des voies choquantes et nullement honnêtes : ce qui irrita le cardinal et l'obligea à rendre ces gens suspects au Roi, lequel pour les décrier les fit jouer quelques années après sur le théâtre par Molière. »

Louis XIV médite un coup d'éclat il va donner au mois de mai à Versailles des fêtes magnifiques qui doivent durer neuf jours. Molière s'est déjà vu commander pour elles une comédie-ballet qui sera *La Princesse d'Elide*. Le Roi le presse d'écrire au plus tôt sa comédie contre les hypocrites. Il veut la faire voir à sa cour au milieu des plaisirs, au moment où, endormie par plusieurs jours de festins, de ballets, de danses, de musique, de courses de bagues, elle s'y attendra le moins.

Ainsi l'effet sera d'autant plus grand.

Molière se met au travail. Le temps est si court qu'il lui faut changer la forme de sa comédie-ballet, dont il rime un petit peu plus d'un acte et qu'il achève en prose, la mort dans l'âme. Comment faire autrement ? La pièce sérieuse : le *Tartuffe,* puisque c'est de lui qu'il s'agit, doit être écrite en vers, faute de quoi elle ne serait pas prise en considération. « Les rois — il l'a dit — n'aiment rien tant qu'une prompte obéissance et si l'on a la honte de n'avoir pas réussi on a toujours la gloire d'avoir obéi vite à leurs commandements. »

Il en achève trois actes. Nous verrons plus tard qu'il n'est pas sûr qu'il s'agisse des trois premiers, il les lit au Roi, qui s'en contente, et réserve pour une autre occasion les deux autres. Son impatience est trop grande, la date approche, il ne saurait être question de remettre l'heure de l'attaque. On jouera donc *Tartuffe* en trois actes.

La satisfaction de Louis XIV nuit un peu au secret de l'entreprise. «Cette pièce, dira Brossette, plut à Sa Majesté, qui en parla trop avantageusement pour ne pas inciter la jalousie des ennemis de Molière et surtout la Cabale des dévots. »

Le 17 avril 1664, moins d'un mois avant les fêtes de Versailles, la Compagnie du Très Saint Sacrement de l'Autel tient séance chez le marquis de Laval.

« On parla fort ce jour-là, écrira d'Argenson, de travailler à procurer la suppression de la méchante comédie de *Tartuffe*. Chacun se chargea d'en parler à ses amis qui avaient quelque crédit à la cour pour empêcher sa représentation. »

Ainsi le secret du Roi est percé, les forces sont en présence. Molière va maintenant jouer le politique malgré lui. Non point qu'il n'écrive le *Tartuffe* que sur commande. Son cœur et son indignation parlent aussi haut que son obéissance et son respect. Mais l'ordre du Roi, son appui qui semble éternel, la pension de mille livres dont il vient de le gratifier, l'honneur qu'il lui a fait en acceptant d'être, avec Madame, le parrain de son fils qui est né le 19 janvier, excitent Molière et le jettent, lui si prudent, dans la bataille.

La Compagnie avait déjà les yeux sur lui, les théories révolutionnaires exposées par Molière dans *L'Ecole des maris* et dans *L'Ecole des femmes*, n'étaient pas du goût de ces messieurs. Ils avaient été scandalisés en apprenant que les maximes lues par Agnès étaient adaptées de stances extraites d'un livre de Desmarets de Saint-Sorlin (œuvres chrétiennes).

Pour la Cabale point de doute, Molière est du côté des libertins. Il est au service de Monsieur qui en est le chef, et qui l'a d'autant mieux accueilli qu'il venait d'être chassé par Conti, il est aussi le protégé de Cosnac...

On sait que la Compagnie ne se manifeste jamais ouvertement. Mais il est curieux de constater que Boursault, Visé et Robinet accusent au même moment Molière du crime d'impiété.

Enfin, le 5 mai 1664, les fêtes de Versailles commencent. Le 7 c'est la première journée des *Plaisirs de l'Ile enchantée*, Mlle Molière y figure les quatre âges et Mlle du Parc les quatre saisons.

Il n'est question que de Molière. Jamais sa faveur n'a été si grande. Il crée *La Princesse d'Elide* la deuxième journée, il reprend *Les Fâcheux* le jour de la troisième, il sort son *Tartuffe* à la sixième et *Le Mariage forcé* à la septième.

Cette comédie avait déjà été jouée devant le Roi, et même par le Roi puisqu'il y dansait le rôle d'un Egyptien, le 29 janvier précédent, dans l'appartement bas de la Reine mère, au Louvre. Mais revenons au *Tartuffe*. L'effet est foudroyant, plus grand peut-être que ce jeune Roi de vingt-six ans, aussi hardi en politique qu'il l'est en amour ou dans le métier des armes, ne l'a prévu.

Notre sentiment est que les trois actes joués étaient le premier, le troisième, et le quatrième, qui mis bout à bout formaient une pièce complète, au dénouement malheureux et poussée tout entière au noir. Il est clair que le deuxième acte rempli par les scènes de dépit amoureux, par les remontrances de Dorine et par le jeu d'Orgon avec sa servante est un acte qui ne tient pas directement à l'action. Quant au cinquième, il est fait de redites jusqu'à la scène de M. Loyal, laquelle en dépit de la catastrophe qu'elle annonce fait un peu longueur, comme d'ailleurs l'entrée de Valère. La fin semble avoir été faite après coup et comme pour rassurer.

Molière quelques jours après la première représentation apprend qu'il lui est interdit de produire la pièce en public. A son grand émoi, il lit dans la Gazette que Sa Majesté, pleinement éclairée en toutes choses, la juge absolument injurieuse à la religion et capable de produire de très dangereux effets.

Molière est stupéfait, pour la première fois le Roi semble lui tourner le dos. En réalité Louis XIV savait depuis longtemps qu'il n'y aurait pas de seconde représentation du *Tartuffe*.

LE PAUVRE HOMME

VI

LE PAUVRE HOMME

Il y a de temps à autre dans la vie d'un homme des tournants brusques à prendre à droite ou à gauche, des décisions qui engagent pour longtemps. Chacun connaît ces époques cruciales. Le courage, le raisonnement, l'intelligence, le calme surtout y sont nécessaires. Il faut de l'audace, de la témérité et quelquefois de l'imprudence pour réussir.

L'erreur est grave dans ses conséquences. Elle n'entache toutefois ni l'honneur ni l'esprit.

Molière s'est trouvé à deux reprises devant ces cruelles alternatives. En 1642 quand il décide d'être comédien, en 1658 lorsqu'il choisit la vie politico-professionnelle de Paris avec ses pièges, ses risques, sa fièvre, son charme et ses éphémères chances de gloire.

Au moins décidait-il en connaissance de cause, les données du problème étaient toutes étalées sous ses yeux.

En 1664, Molière prend la très grave détermination d'écrire *Tartuffe*. Sa pureté est évidente, le sujet lui tient à cœur. Cependant, pour la première fois, des éléments lui manquent. Il trouve tout naturel de servir son Roi et il le fait avec d'autant plus d'amour que l'ordre de son souverain concorde avec celui de sa conscience. Il ne s'aperçoit pas qu'il n'est pas seul à décider. Un esprit plus bassement politique que le sien aurait écrit un *Tartuffe* par ordre (il était impossible de refuser), mais ne se serait pas compromis par tant de chaleur, par tant de talent. Avec flamme et sans prudence il se jette en avant. Du même œil froid, dont il verra tomber ses soldats dans la plaine des Flandres, le Roi le regarde.

L'histoire est sévère pour Louis XIV et surtout pour Louis XIV vieillissant. Elle en fait un piètre politique, un homme crédule jusqu'à la sottise — on lui faisait croire que les jansénistes étaient des républicains — les faits pourtant, au moins jusqu'à la mort de Molière, semblent lui donner tort.

L'interdiction de *Tartuffe* au lendemain de la première représentation est un trait de génie politique.

Si la pièce avait été jouée en 1664 au Palais-Royal, elle aurait surpris, déconcerté et peut-être choqué le public. La royauté ne s'en serait pas trouvée ébranlée. C'était trop tôt. Mais l'attaque du Roi contre la Cabale aurait perdu beaucoup de sa force. Donner la pièce au milieu de fêtes éclatantes, puis l'interdire avec fracas, c'est grossir encore l'événement. Le Roi, en feignant d'avoir été trop loin, enfonce davantage le couteau dans la plaie.

Un esprit très cartésien pourrait prendre ici Louis XIV en défaut. Un roi si puissant et si éclairé aurait dû prévoir les réactions que susciterait une pièce faite sur son ordre. Mais le but justifie tout et l'hypocrisie est une arme reconnue en matière politique. Louis XIV frappe deux fois pour une. Son interdiction est une démonstration adroite et publique de l'importance du soufflet qu'il vient de donner au prince de Conti.

En laissant jouer la pièce il pouvait jouer lui-même le *Tartuffe,* dire que tout cela était bien bénin, qu'il ne s'agissait que d'une comédie de plus. En s'opposant à la représentation il se voile la face devant la grandeur d'un crime qu'il veut cacher à son peuple. La réalité de ce crime s'en trouve de ce fait confirmée.

Molière, lui, ne comprend pas ce qui lui arrive. Ses placets, sa préface le prouveront, il ne cessera de protester de sa bonne foi. Mais au fait, de sa bonne foi envers qui ? Envers le Roi ? La question ne se pose pas. Envers Dieu et l'église parfaite ? Encore moins. Alors, envers qui ? Molière est innocent. C'est un innocent qui va crier et c'est même un étourdi.

Si Molière avait été complice du Roi, il se serait tu, ou n'aurait protesté que pour la forme. Pendant cinq ans, il va crier, se plaindre, protester, supplier, expliquer. Un être moins pur aurait passé cela à profits et pertes. Mais *Tartuffe* est son enfant tout comme *Sganarelle* ou *La Jalousie du Barbouillé,* il a droit à la vie. Seul le public a qualité pour dire (et encore momentanément), s'il a le droit de vivre, de végéter ou de mourir. Molière toujours si prudent, si calme, si équilibré, perd un peu la tête. C'est, pensons-nous, la seule fois de sa vie. Il fallait que cela se produisît, faute de quoi il n'eût pas été un homme.

Tout ceci est à mettre au crédit de son honneur et au débit de son habileté.

Molière dans sa naïveté pense que servir son Roi c'est nécessairement s'avantager lui-même. Il marche au-dessous, mais dans la même direction. A partir du mois de mai 1664 il entrevoit dans une espèce de brouillard cauchemaresque qu'il vient de travailler à une cause, en laquelle il croit comme « homme », et en laquelle Louis croit comme « Roi ».

Molière est comme désorienté. Il va maintenant tenter de concilier l'inconciliable. Il ne cessera d'affirmer sa confiance originelle dans l'Eglise telle qu'il la conçoit et dans son Roi qui semble vouloir en être le défenseur.

Comme il ne peut pas se retrancher ouvertement derrière l'ordre de Louis XIV puisque celui-ci le désavoue, il essaie de faire la preuve d'une foi absolument orthodoxe. Il cite le légat du pape. Il cherche partout des appuis. Un seul suffirait, celui du Roi. Il lui manque. Molière va donc remanier sa pièce, l'édulcorer, la rendre plausible aux yeux des malveillants.

Avec un courage, une intelligence et une habileté d'homme, il montre une âme d'enfant. Seul un enfant pur et confiant peut être à ce point déconcerté, offensé et meurtri par la duplicité. La traîtrise du piège ne fait qu'ajouter à la difficulté de s'en dégager.

Molière a peur. Il s'affole. Bien sûr, le théâtre passe avant tout, mais il se sent engagé malgré lui dans une partie qu'il n'a pas prévue. Il veut bien jouer, mais pas à ce jeu-là. Jusqu'à présent il restait dans la coulisse. Il obéissait. Sans doute cette obéissance le satisfaisait, il savait comment la débrider. On l'en récompensait en tout cas. Cette fois elle l'entraîne sur les chemins les plus dangereux. Elle risque de lui coûter la vie.

Ses soutiens ordinaires : Monsieur, Cosnac, qui ne devaient pas ignorer l'attaque, lui manquent prudemment dès qu'ils sentent le vent tourner.

Encore une fois, Molière complice aurait courbé l'échine, Molière homme libre et ceci est assez surprenant en ce siècle — Molière amoureux de théâtre, fidèle à son œuvre va réagir, et par là même s'enliser, jusqu'à la victoire et surtout après la victoire. Il fait le voyage de Fontainebleau, où la Cour s'est transportée, mais Louis XIV ne fléchit pas. Complètement déconcerté, Molière lit sa pièce un peu partout, chez Mme de la Sablière, chez Ninon de Lenclos, et même au légat qui vient d'arriver à Paris, comme s'il voulait prouver sa foi et sa bonne foi, montrer qu'un bon chrétien peut justement avoir horreur de la fausse dévotion, que toutes les précautions ont été prises ; rien n'y fait. Le Roi se retranche derrière le fait que la vraie et la fausse dévotion peuvent avoir le même visage et que des âmes moins élevées que la sienne peuvent s'en trouver troublées.

Molière proteste de son innocence. Elle est réelle, mais pas aux yeux de la Cabale. Il fait dire à Cléante en parlant des vrais dévots : « point de *cabale* en eux, point d'intrigues à suivre », et plus loin : sur moins que cela le poids d'une *cabale* embarrasse les gens dans un fâcheux dédale ».

L'attaque est très nette et Molière montre quelque naïveté quand il est surpris par la riposte.

Il continue ses lectures privées, une notamment est assez curieuse dont Racine nous a laissé le récit : « C'était chez une personne qui en ce temps-là était fort de vos amies ; elle avait eu beaucoup d'envie d'entendre le *Tartuffe* et l'on ne s'opposa point à sa curiosité. On vous avait dit que les jésuites étaient joués dans cette comédie, les jésuites au contraire se flattaient qu'on en voulait aux jansénistes. La compagnie était assemblée. Molière allait commencer, lorsqu'on vit arriver un homme fort échauffé qui dit tout bas à cette personne : « Quoi, Madame, vous allez entendre une comédie le jour même que le mystère d'iniquité s'accomplit, le jour même qu'on nous ôte nos mères. » Cette raison parut convaincante, la compagnie fut congédiée. Molière s'en retourna fort étonné de l'empressement qu'on avait eu pour le faire venir et de celui qu'on avait pour le renvoyer. »

Ceci se passait le 26 août 1664, le jour que l'archevêque de Paris fit sortir de Port-Royal douze religieuses.

Cette histoire montre assez la confusion qu'on entretient autour de la pièce. Tout le monde maintenant veut avoir Molière chez lui.

Peu à peu les factieux s'emploient à retourner contre Louis XIV sa politique à double sens.

Boileau, l'ami de toujours, ose parler de *Tartuffe*, dans son discours au Roi :

Ce sont eux (les dévots) que l'on voit d'un discours [insensé,
Publier dans Paris que tout est renversé

....

Leur cœur qui se connaît et qui fait la lumière
S'il se moque de Dieu, craint Tartuffe et Molière.

D'un autre côté, Loret dans sa lettre du 21 mai 1664 adressée à la duchesse de Longueville, protectrice de l'abbé de Roquette, lequel est partout désigné comme l'un des prototypes du Tartuffe, décoche à Molière des traits perfides et veut laisser croire, afin de couper court à toute récidive, que les trois premiers actes ont été seulement essayés devant le Roi.

Bourdaloue, ami du président Lamoignon et par conséquent favorable à la cabale, prononce un sermon terrible contre la nouvelle comédie.

Un autre prédicateur, le père Mainbourg, se déchaîne avec une violence telle qu'il court dans Paris, à son intention, l'épigramme suivante :

Un dévot disait en colère
En parlant de Tartuffe et de l'auteur Molière :
« C'est bien à lui de copier
Les sermons qui se font en chaire,
Pour en divertir son parterre !
— Paix ! lui dis-je, dévot : il a droit de prêcher
Car c'est un droit de représaille
Que vous ne sauriez empêcher.
Ne croyez pas que je vous raille ;
Je vais le faire voir aussi clair que le jour
Et si vous ne fermez les yeux à la lumière,
Vous verrez que Mainbourg a copié Molière
Et que par un juste retour
Molière a copié Mainbourg.

Une autre attribuée à Boileau est à l'adresse de l'abbé de Roquette :

On dit que l'abbé Roquette
Prêche les sermons d'autrui ;
Moi qui sais qu'il les achète,
Je soutiens qu'ils sont à lui.

Chacun, à la cour, prétend connaître l'original du portrait fait par Molière. Les « Tartuffe » ne doivent pas manquer. Comme il est impossible de prononcer le nom du prince de Conti, c'est l'abbé de Roquette qui recueille la majorité des suffrages. Devenu évêque d'Autun, il ne pourra jamais se débarrasser de son personnage. Mme de Sévigné le confirmera plus tard en écrivant : « Il a fallu dîner chez M. d'Autun : *le pauvre homme* ! » On n'est pas plus clair ni plus concis.

Cependant Molière veut vaincre, il veut qu'on le joue, il écrit au roi : « Voici une comédie dont on a fait beaucoup de bruit et qui a été longtemps persécutée, et les gens qu'elle joue ont bien fait voir qu'ils étaient plus puissants en France que tous ceux que j'ai joués jusqu'ici. Les marquis, les précieuses, les cocus et les médecins, ont souffert doucement qu'on les ait représentés, et ils ont fait semblant de se divertir avec tout le monde, des peintures que l'on a faites d'eux ; mais les hypocrites n'ont point entendu raillerie ; ils se sont effarouchés d'abord, et ils se sont tous armés contre ma comédie avec une fureur épouvantable. Ils n'ont eu garde de l'attaquer par le côté qui les a blessés : ils sont trop politiques pour cela, et savent trop bien vivre pour découvrir le fond de leur âme. Suivant leur louable coutume, ils ont couvert leurs intérêts de la cause de Dieu ; et le *Tartuffe,* dans leur bouche, est une pièce qui offense la piété. Elle est, d'un bout à l'autre, pleine d'abominations, et l'on n'y trouve rien qui ne mérite le feu. »

Après ce déchaînement, cette colère, qui si l'on y réfléchit lui fait davantage prendre position contre la Cabale, il se souvient que dans le Royaume de

France, pour ne point rompre, il s'agit tout de même de plier et, retrouvant un peu de calme, il explique doucement :

« J'avoue qu'il y a des lieux qu'il vaut mieux fréquenter que le théâtre ; et, si l'on veut blâmer toutes les choses qui ne regardent pas directement Dieu et notre salut, il est certain que la comédie en doit être, et je ne trouve point mauvais qu'elle soit condamnée avec le reste ; mais, supposé, comme il est vrai, que les exercices de piété souffrent des intervalles et que les hommes aient besoin de divertissement, je soutiens qu'on ne leur en peut trouver un qui soit plus innocent que la comédie. »

Molière termine son premier placet en disant : « Les rois éclairés... voient comme Dieu ce qu'il nous faut. » C'est aller un peu loin. Un homme, même s'il est Roi, ne peut être comparé à Dieu. La flatterie est trop forte. Ce roi très chrétien devrait en être choqué.

C'est alors qu'un curé de Paris, Pierre Roullé, écrit un pamphlet intitulé *Le Roy glorieux au monde*, pamphlet d'une violence inouïe dans lequel il mêle perfidement Turenne le protestant, et Molière le libertin. Pourquoi ? Il y a là un mystère. On trouvera d'ailleurs chez Molière, après sa mort, un portrait de Turenne. Le connaissait-il ! Le fréquentait-il ? Le grand soldat reste muet, mais l'auteur se défend. Il fait supprimer le pamphlet et en reprend néanmoins les termes.

« Ma comédie sans l'avoir vue est diabolique, et diabolique mon cerveau ; je suis un démon vêtu de chair et habillé en homme, un libertin, un impie digne d'un supplice exemplaire. Ce n'est pas assez que le feu expie en public mon offense, j'en serais quitte à trop bon marché ; le zèle charitable de ce galant homme de bien n'a garde de demeurer là ; il ne veut point que j'aie de miséricorde auprès de Dieu ; il veut absolument que je sois damné, c'est une affaire résolue. »

Il est certain qu'on en veut à sa vie. Molière n'a pas peur, on peut dire de lui ce qu'on disait d'Henri IV : « son courage riait ». Et pourtant, il sait que trente années auparavant, Urbain Grandier a été brûlé vif pour moins que cela.

Enfin Molière, ses nerfs un peu tombés, prend, comme toujours, le parti d'être raisonnable. Il pense que dans quelques mois, peut-être même dans quelques semaines, l'interdiction sera levée, et que le plus sage est d'attendre en travaillant. Il vient justement d'accueillir un jeune homme de vingt-cinq ans, qui lui apporte sa première tragédie. Ce jeune homme c'est Jean Racine, la tragédie c'est *La Thébaïde,* que Molière joue le 20 juin 1664.

C'est à cette époque, que les deux grands auteurs, dont l'intimité va être de courte durée, se réunissent avec Chapelle et La Fontaine chez Despréaux qui loge rue du Colombier (l'actuelle rue Jacob).

Le 10 novembre 1664, le petit Louis Poquelin, meurt âgé de dix mois. Molière effondré est incapable d'assurer pendant quelques jours son service au théâtre, et pour la première fois le 14 novembre, La Grange, qui le note avec orgueil sur son registre, commence à annoncer à la place de Molière.

Les annonces faites chaque jour au public viennent renforcer les affiches rouges et noires du théâtre du Palais-Royal. Elles sont importantes. Le chef de la troupe entretient le public des projets de créations et de reprises, et aussi des distributions. Il arrive qu'il soit interrogé par le parterre et qu'un dialogue souvent amusant s'engage. Molière excelle dans le métier d'orateur, il aime fort à haranguer dit La Grange, et le parterre est friand du spectacle supplémentaire qu'il lui donne impromptu à chaque représentation.

Pendant quelques jours, il n'en est plus question. Molière s'abandonne à sa douleur. Depuis longtemps un fossé s'est creusé entre les deux époux. A qui donner tort? Armande est capricieuse, autoritaire, égoïste, cruelle, charmante, orgueilleuse et insensible. Lui est essentiellement maladroit. La déception est double, il est moins heureux marié qu'à l'époque où il rêvait d'en faire sa femme. Les grâces qu'elle déployait, les caresses qu'elle lui prodiguait, le plaisir qu'elle manifestait à sa conversation, tout cela s'est évanoui dans le mariage. Il ne s'agit même plus de ce rapport d'humeurs dont parlera Eliante. L'amour est absent. Ce qui en tient lieu ne scelle rien. Elle est déçue. Laissons de côté les spéculations hardies que l'on peut toujours faire sur le secret des alcôves et bornons-nous à l'extérieur. Armande joue peu, elle ne règne pas sur la troupe comme elle l'aurait souhaité, elle y a moins d'autorité que sa mère. Est-ce pour cela qu'elle a lié son sort au directeur du théâtre, à l'auteur à la mode, au premier des comédiens ?

Le devoir d'une femme aimante, au moment de la crise du *Tartuffe,* était de calmer son mari, de lui faire voir les dangers qu'il courait. Armande est très craintive, sur le sujet de la religion. Sa peur même aurait dû l'animer. Non, elle reste inerte et froide devant un Molière bouleversé. Elle semble ne pas comprendre. Elle l'aime si peu que son indifférence va jusqu'au dédain. Lui est tout enfiévré de son combat, et ne donne pas assez de temps à sa femme...

mais sa raison n'est pas ce qui règle l'amour. Si Dieu avait donné à Molière plusieurs vies il eût pu être pour Armande l'amant parfait. Mais les journées n'ont que vingt-quatre heures, une femme peu exigeante se plaindrait déjà du peu de minutes qu'il lui accorde et l'exigence de Mlle Molière est infinie.

Anéantis par la mort du petit Louis, les époux se regardent et se découvrent sans bien se comprendre. Ils se rapprochent, un besoin mutuel de tendresse joint à l'excès de la douleur les jette dans les bras l'un de l'autre. Une petite fille naîtra neuf mois après.

Cette charmante Madeleine-Esprit héritera de la finesse de son père : A une personne qui plus tard lui demandera son âge, elle répondra : « Quinze ans, mais ne le dites pas à ma mère. » Armande n'aimera jamais le seul enfant qui lui restera de Molière. Elle l'enfermera dans un couvent le plus longtemps possible.

Madeleine-Esprit épousera, sur le tard, un certain sieur de Montalant, vivra loin du théâtre, à Argenteuil, et s'éteindra à l'âge de cinquante-huit ans, sans postérité.

Jean-Baptiste Poquelin après la mort de son fils cherche la distraction plus dans le travail quotidien du théâtre que dans son métier d'auteur. Le Roi, comme s'il voulait réparer (mais telle n'est pas sa pensée) le mal qu'il a pu faire à son auteur favori, veut le rendre chef de la Troupe. Mais celui-ci lui représente que d'ami de ses camarades, il deviendrait leur ennemi et qu'il aime infiniment mieux être leur ami et leur confrère que leur chef. Constatons à l'honneur de ses acteurs qu'ils n'éprouvent jamais la moindre jalousie à l'égard de celui qui les dirige. C'est qu'il ne manque jamais de rappeler qu'il est avant tout comédien. « Je ferais jouer, dit-il, jusqu'à des fagots. »

Le vert, couleur des bouffons, est sa couleur et domine dans son appartement. De là vient peut-être l'origine d'une superstition qui fait bannir à certains auteurs et à certains comédiens le vert de la scène. Les armoiries de Molière se composent de miroirs, de masques et de singes. Point de malentendu : il est comédien. Il voudra toujours le rester. A Boileau qui le pressera plus tard de quitter les planches et de se donner tout entier à son métier d'auteur, il répondra : « Ah ! Monsieur, que me dites-vous là ! Il y a honneur pour moi à ne point quitter. »

Cependant l'année 1664, qui aura vu la naissance et la mort de son premier enfant, s'achève sans que *Tartuffe* ait été représenté une seconde fois. Molière n'a plus que deux issues ; plier et se taire, ou, puisqu'il ne peut s'attaquer à la volonté du Roi, reprendre à son compte, et c'est là la suprême imprudence, la lutte contre les dévots.

Molière, à ce moment, n'est plus en état de juger ce qu'il fait. Il s'imagine avec naïveté que s'il abat, à lui seul, les puissances que Louis XIV a attaquées il en recevra fruit et honneur.

Il oublie que deux princes du sang ennemis sont plus liés l'un à l'autre qu'un Roi à son valet, tout homme de génie qu'il puisse être. La nécessité de pourvoir le théâtre d'une pièce nouvelle jointe à une irritation grandissante le conduisent à écrire *Dom Juan*. C'est un cri de rage, un pamphlet d'une violence prodigieuse dirigé contre le prince de Conti.

Tartuffe, c'était un composé de plusieurs dévots, l'abbé de Roquette, Conti, etc. Tartuffe, c'était aussi

Onuphre ou Montufar. Dom Juan, c'est Conti et Conti seul.

Molière par instinct, par courage, par orgueil ou par raison décide de frapper à la tête. Nous avons vu en son temps quel portrait cruel il trace du prince. *Dom Juan* est tout rempli de la lutte de l'athée contre Dieu. Molière situe la pièce en Sicile (ce que n'a fait aucun de ses prédécesseurs), car c'est l'enfer des anciens, le domaine du feu. Il donne d'ailleurs à son personnage des rubans couleur de feu, on ne peut plus précisément marquer l'intention de confondre Dom Juan, Lucifer et Conti.

Nous ne connaissons rien de plus violent que cette tirade fameuse du cinquième acte tout entière inspirée par le drame de l'interdiction de *Tartuffe,* par les excès de la Cabale et la feinte conversion de Conti :

« L'hypocrisie est un vice à la mode, et tous les vices à la mode passent pour vertus. Le personnage d'homme de bien est le meilleur de tous les personnages qu'on puisse jouer aujourd'hui, et la profession d'hypocrite a de merveilleux avantages. On lie, à force de grimaces, une société étroite avec tous les gens du *parti.* Qui en choque un, se les jette tous sur les bras ; et ceux que l'on sait même agir de bonne foi là-dessus, et que chacun connaît pour être véritablement touchés, ceux-là, dis-je, sont toujours les dupes des autres ; ils donnent hautement dans le panneau des grimaciers et appuient aveuglément les singes de leurs actions. Combien crois-tu que j'en connaisse qui, par ce stratagème, ont rhabillé adroitement les désordres de leur jeunesse, qui se sont fait un bouclier du manteau de la religion, et, sous cet habit respecté, ont la permission d'être les plus méchants hommes du monde ?... Si je viens à être découvert, je verrai, sans me remuer, prendre mes intérêts à toute la *cabale,* et je serai défendu par elle envers et contre tous. Enfin c'est là le vrai moyen de faire impunément tout ce que je voudrai. Je m'érigerai en censeur des actions d'autrui, jugerai mal de tout le monde, et n'aurai bonne opinion que de moi. Dès qu'une fois on m'aura choqué tant soit peu, je ne pardonnerai jamais et garderai tout doucement une haine irréconciliable. Je ferai le vengeur des intérêts du Ciel, et sous ce prétexte commode, je pousserai mes ennemis, je les accuserai d'impiété, et saurai déchaîner contre eux des zélés indiscrets, qui, sans connaissance de cause, crieront en public contre eux, qui les accableront d'injures, et les damneront hautement de leur autorité privée. C'est ainsi qu'il faut profiter des faiblesses des hommes, et qu'un sage esprit s'accommode aux vices de son siècle. »

Le parti, la Cabale, ces mots reviennent sans cesse. Impossible de ne pas se reconnaître. Chaque trait lui est destiné. Le prince de Conti accuse le coup. Il s'écrie : « Y a-t-il une école d'athéïsme plus ouverte que *Le festin de Pierre* où, après avoir fait dire toutes les impiétés les plus horribles à un athée qui a beaucoup d'esprit (de cela, il ne semble pas mécontent), l'auteur confie la cause de Dieu à un valet, à qui il fait dire pour le soutenir toutes les impertinences du monde. »

C'est du charabia, mais du charabia dangereux.

Dès la deuxième représentation on contraint Molière à des coupures. On se charge de lui faire doucement comprendre qu'il ne gagnerait rien à persévérer ; il comprend. Sans lui faire injure, on peut dire que cette fois, Molière a peur. Il va arrêter la pièce en plein succès, les recettes en font foi, après la quinzième représentation.

Cette fois, point de placet, point de protestations bruyantes, point de lectures privées. Molière ne crie plus qu'on l'égorge. Un silence étrange se fait autour de la comédie. Sa mort n'est pas naturelle. La Cabale est encore très forte. Ce ne sera pas un silence de quelques mois ou de quelques années, il faudra compter en siècles, et attendre la moitié du XIXe pour revoir le *Dom Juan* de Molière sur une affiche. Entre-temps on représentera une traduction en vers faite par Thomas Corneille à la demande de la veuve de l'auteur. La pièce est maudite, mais le sujet reste bon.

Pendant plus de cent soixante-dix ans, personne n'osera même en parler. L'interdiction toujours officieuse ne sera jamais levée. Le silence se fera chaque jour plus craintif.

Le libraire Billaine qui avait obtenu avant la création de la pièce l'autorisation de la publier renonce précipitamment à son privilège. Et lorsque *Le Festin de Pierre* paraîtra pour la première fois, neuf ans après la mort de Molière, dans les œuvres posthumes de 1682, des cartons, c'est-à-dire des suppressions importantes, seront exigés. Deux ou trois exemplaires échapperont seuls au massacre, celui de La Reynie, le lieutenant de police, et celui de Colbert qui par bonheur était bibliophile. La scène du pauvre sera imprimée en Hollande.

Un sonnet, à la fois plat et terrible mais qui en dit long sur les intentions des ennemis de Molière, court la capitale.

Tout Paris s'entretient du crime de Molierre.
Tel dit : j'estoufferois cet infâme bouquain ;
L'autre : je donnerois à ce maistre faquin
De quoy se divertir à grands coups d'estrivierre.

Qu'on le jette lié au fond de la rivierre
Avec tous ces impies compagnons d'Harlequin,
Qu'on le traicte en un mot comme un dernier coquin,
Que ses yeux pour toujours soient privés de lumierre.

Tous ces maux différends ensemble ramassés
Pour son impiété ne seroient pas assés ;
Il faudroit qu'il fut mis entre quatre murailles ;

Que ses approbateurs le vissent en ce lieu,
Qu'un vautour, jour et nuit, déchirât ses entrailles,
Pour montrer aux impies à se moquer de Dieu.

Des *Observations sur le Festin de Pierre,* signées Rochemont et qui sont en réalité l'œuvre du janséniste Barbier d'Aucourt, font apparaître le caractère impie de la pièce et l'insolence de sa représentation, « à la face du Louvre, dans la maison d'un Prince très chrétien » autrement dit le Palais-Royal. On n'ajoute pas que la pièce est diffamatoire, ce serait attaquer indirectement Conti, mais chacun pense que Molière a été trop loin.

Assez adroitement celui-ci, dans deux réponses aux Observations, rappelle une parole du Roi touchant son héros : « Il n'est pas récompensé. » Si Louis XIV peut dire cela, pour justifier qu'il n'interdit pas la pièce, cela ne signifie pas qu'il l'approuve. On le sent à ce moment assez fâché d'avoir à peiner son cher auteur, mais la politique de ce Roi de vingt-sept ans passe avant tout.

Le lecteur attentif du Registre de La Grange est surpris de trouver en marge de chaque représentation de *Dom Juan* : « Donné aux capucins X livres » ; le chiffre varie, pas les bénéficiaires. Ce qui peut paraître étrange au premier abord est simplement amusant lorsqu'on possède la clef de l'énigme. Les capucins font à ce moment office de pompiers. Les comédiens brûlent de la poudre de lycopode afin de rendre plus fantastique l'apparition du Commandeur et la disparition de Dom Juan au sein des enfers. D'où la présence des bons capucins, surpris peut-être d'avoir à servir une pièce qui, à première vue, sert si mal la cause de Dieu.

Molière est chrétien, sa foi est sincère, forte et calme. Point embarrassée de superstition, ni de mysticisme, elle déconcerte par son équilibre. Ce n'est pas Dieu qu'il discute, même pas l'Eglise, mais certains des hommes qui la composent. La chose a toujours paru dangereuse aux bons pasteurs qui craignent de voir s'établir la discussion chez les fidèles. Elle l'est d'autant plus à une époque où l'esprit discuteur est poussé à son paroxysme : exemple Port-Royal. Conscient de l'évolution constante des mœurs, c'est Molière, il ne faut pas l'oublier, qui donnera pour la première fois au mot humanité son sens de grande famille des hommes.

Enfin la dernière représentation de *Dom Juan* a lieu le 20 mars 1665.

Les coups de tonnerre de ce deuxième orage vont s'éloignant, une pluie bienfaisante tombe en abondance qui détend les nerfs du poète. Il garde au cœur les blessures qu'on lui a faites, mais il retrouve un peu de calme, il prend du recul, il se met à considérer en artiste, en homme de métier, une œuvre qui, jusqu'à présent, semblait n'appartenir qu'au polémiste.

Tartuffe ne pose pas de problème, les trois unités sont respectées, les caractères sont peints dans toute leur vérité, la construction est superbe, les coups de théâtre nombreux. A la réflexion, il s'aperçoit que ce qui a le plus inquiété les dévots, faux ou vrais, ce n'est pas le personnage de Tartuffe, mais bien plutôt celui d'Orgon, rôle complexe, qu'il s'était d'ailleurs réservé, et celui de Cléante. Orgon est un peureux, un angoissé, un faible, tout lui est sujet de crainte, il se cache toujours derrière sa conscience, l'aveu qu'il fait au Ve acte qu'il a voulu « ... en cas de quelque enquête, avoir d'un faux-fuyant la faveur toute prête par où sa conscience eût pleine sûreté à faire des serments contre la vérité », en dit long sur son hypocrisie.

Tartuffe ne dit rien de pire, puisque nous savons que c'est en scélérat qu'il parle. Mais cet honnête homme, ce chef de famille qui pour servir son prince montra du courage et qui devient comme hébété... « depuis que de Tartuffe on le voit entêté », surprend et irrite.

Cet envoûtement d'Orgon par Tartuffe n'est jamais assez souligné. Les mots de Dorine sont cependant étrangement précis :

Il le choie, il lui parle et pour une maîtresse
On ne saurait je pense avoir plus de tendresse.

La description de la mort de la puce est un trait de génie, c'est aussi un coup de poignard dans le cœur de ceux qui font profession de diriger les âmes.

A-t-on le droit d'agiter aussi tyranniquement la conscience de son prochain ? C'est la question qui est réellement posée. C'est elle qui est gênante. Molière pour la première fois aborde un thème qui lui sera cher et qu'il traitera dans quatre autres de ses pièces : celui du chef de famille dont la raison est obscurcie par la passion et qui est en passe de faire, en toute bonne foi, le malheur des siens. Le caractère de Cléante scandalise, à bon droit, les âmes pieuses et rigoristes. Ses raisonnements sentent le chrétien progressiste, les dévots qu'il prône et « qui pour tous soins se mêlent de bien vivre » ne satisfont point. Bien vivre ! Qu'est-ce que cela veut dire ? Où sont les règles ? Où est la doctrine ? Où est le confesseur ? Bref les faux dévots ont vu le danger où il n'était pas, les vrais l'ont découvert là où il était. Ceci explique que jusqu'au début du XXe siècle Tartuffe passera pour une pièce de propagande anti-cléricale. Une édition de 1820, reliée sous le titre trompeur de *Vie des Saints,* renferme avant la pièce un avis au lecteur qui menace les jésuites de tirer *Tartuffe* à cent mille exemplaires et de les répandre partout en France. Ceci cent cinquante ans après la première publication de l'ouvrage. Pour revenir à l'art du Théâtre, admirons combien Molière a mis d'adresse dans la composition de son œuvre. Il nous fait retrouver chez Orgon et chez Damis des traces du caractère de Madame Pernelle, entêtements, emportements, mauvaise foi. Les liens de parenté sont ainsi mis en lumière sans explication superflue. Tout est soigneusement dosé, l'impertinence de Dorine, la noblesse de Valère, la coquetterie veule de Marianne et surtout l'énigme ravissante que pose le personnage d'Elmire : l'honnêteté qui n'ose pas dire son nom. Tout en forgeant ses armes Molière a composé une de ses pièces les plus parfaites. Il n'en est pas de même pour *Dom Juan*. Œuvre de génie qui ne répond à aucune des normes de l'époque, qui ne respecte aucune règle. Pas question d'unité de temps, ni d'unité de lieu. L'unité d'action se découvre en filigrane. Le premier acte est tout emporté, tout en tirades, la violence du sujet et de la situation interdisant presque tout dialogue. Le deuxième acte est charmant et dramatiquement inutile, le troisième est un acte philosophique qui sur sa fin seulement nous ramène au sujet. Le quatrième est admirable. La succession des avertissements à *Dom Juan* est sublime. Au cinquième la lutte contre Dieu prend une ampleur terrifiante et la pièce se termine par un raccourci comique, dont les romantiques profiteront plus tard.

Louis Jouvet aimait à dire que, pour la plupart des spectateurs, Dom Juan c'est Casanova. Boutade qui renfermait une vérité. Mais grâce au ciel cette interprétation cosmétiquée du personnage le plus diabolique du répertoire français tend à disparaître.

Molière en considérant sa pièce terminée ne comprend pas très bien comment il l'a écrite et conçue. Il s'est servi de thèmes anciens et ce n'est pas ici le lieu de les rappeler, mais il s'est jeté avec une telle fureur sur sa plume, que son œuvre a jailli de lui, presque à son insu.

Après avoir produit coup sur coup ses deux seules pièces de combat déclaré, la fatigue l'envahit, la sensation du vide le saisit, il respire longuement, fier de lui et il cherche dans le travail la preuve que son métier est toujours au bout de ses doigts. L'arrêt sans appel des représentations de *Dom Juan* lui fait comprendre que la diversion s'impose. Il va très vite en trouver l'occasion.

LE FER SACRÉ

VII

LE FER SACRE

« Au mois de juin on a joué, dit La Grange, *Le Favory* (de Mlle des Jardins) dans le jardin, sur un théâtre tout garni d'orangers. M. de Molière fit en prologue un marquis ridicule qui voulait être sur le théâtre malgré les gardes et eut une conversation risible avec une marquise ridicule placée au milieu de l'assemblée. »

Molière excellait, on le sait, dans ces rôles. Ce prologue ainsi que des intermèdes fait en collaboration avec Lulli n'a pas été conservé.

C'est encore avec Lulli, qui décidément va devenir presque chaque jour son compagnon de travail, qu'il compose pour le 14 septembre *L'Amour médecin*. « Ce n'est ici, qu'un simple crayon, écrit Molière, un petit impromptu dont le Roi a voulu se faire un divertissement. Il est le plus précipité de tous ceux que Sa Majesté m'ait commandés, et lorsque je dirai qu'il a été proposé, fait, appris et représenté en cinq jours, je ne dirai que ce qui est vrai. »

Pour la deuxième fois (il avait commencé avec *Dom Juan*) Molière s'attaque aux médecins.

A en croire ses ennemis, la raison en est basse, Molière logeait chez un médecin qui venait de lui signifier son congé. Mlle Molière aurait fait refuser la porte du théâtre à la femme dudit médecin qui avait obtenu par surprise un billet de faveur. C'est peu. Cela ne justifie pas une haine qui tourne une profession en ridicule tout au long de six comédies.

Les médecins actuels voient cela d'un œil serein. Molière, n'est-ce pas, n'attaquait que leurs ignorants prédécesseurs puisqu'il fait dire à Béralde : « Les ressorts de notre machine, sont des mystères *jusques-ici* où les hommes ne voient goutte. » La vraie raison de la haine de Molière, c'est qu'il commence d'être malade et que la médecine ne le soulage pas.

Le 8 novembre, par ordre du prince de Condé, la troupe joue *Tartuffe,* enfin terminé en cinq actes, pour la princesse Palatine, en son château du Raincy. Mais ce n'est là encore qu'une représentation privée. L'interdiction demeure. Le Roi cependant, qui tient à donner d'une main ce qu'il reprend de l'autre, demande à son frère de lui céder ses comédiens. C'est un honneur insigne pour la troupe du Palais-Royal, qui prend alors le nom de « Troupe du Roi » ; les comédiens de l'Hôtel de Bourgogne gardent celui de « Troupe Royale ». Il y a comme cela de temps à autre des équivoques ou des confusions.

Le Roi donne aussi à son comédien préféré six mille livres de pension.

Avant que ne s'achève l'année 1665, au cours de laquelle il a perdu sa sœur Madeleine, Molière dirige les répétitions de la deuxième pièce de Racine, *Alexandre*. La première a lieu le 4 décembre.

On rejoue la pièce le 18 décembre et les comédiens du Palais-Royal, ébahis, vexés, scandalisés et furieux apprennent que le même jour, à la même heure, Racine, qui ne les trouve pas dignes de lui, fait jouer *Alexandre* par leurs rivaux de l'Hôtel de Bourgogne.

Les relations de Molière et de Racine s'arrêtent là. On comprend Molière.

L'actuelle société des auteurs doit, comme on le sait, la vie à Beaumarchais. Au XVIIe siècle les poètes dramatiques ne sont défendus, ni en groupe ni en particulier. L'usage veut que les comédiens versent une certaine somme forfaitaire, pour acquérir le droit de jouer une pièce qu'ils ont commandée ou que l'auteur leur a soumise. Le marché conclu, l'affaire s'avère bonne pour le théâtre si le succès permet l'amortissement des droits importants ou minimes (cela varie avec les auteurs) versés au départ, désastreuse si l'œuvre ne compte que quelques représentations. Tout cela se fait de gré à gré. Il arrive que devant le triomphe d'une comédie, des acteurs aient la délicatesse et la dignité d'offrir à l'auteur des sommes supplémentaires. Elles ne lui sont point dues, et il est malséant de parler de malhonnêteté si le théâtre s'en tient à la stricte application de la convention.

Certains auteurs, comme Corneille à l'apogée de sa gloire, ne cèdent leurs pièces que contre des sommes relativement importantes. Mais leur nom suffit généralement à assurer les recettes. L'auteur est connu du public bien plus qu'il ne l'est aujourd'hui. Certains spectateurs, actuellement, et ils sont plus nombreux qu'on ne l'imagine, pensent que ce sont les comédiens qui, chaque soir, inventent leur propre texte.

Il n'est pas rare d'entendre de la bouche de son voisin : « Non, mais où va-t-il chercher tout cela ? » Quatre-vingt-dix-neuf pour cent du public cinématographique ignore le nom du scénariste. La vedette c'est l'acteur. Au XVIIe siècle, les Parisiens ont, certes, leurs comédiens favoris, mais l'indiscutable vedette, celle qui attire les loges et le parterre, c'est l'auteur.

Hors Paris, ses droits n'existent plus. Il faut être un chef de troupe bien scrupuleux, pour penser à conserver, après une représentation de telle ou telle tragédie donnée sur une place publique d'Agen ou de Béziers, une part même légère au créateur de l'œuvre. L'usage même admis, l'exécution en serait incontrôlable. La production théâtrale vit dans l'anarchie. Il en est de même pour l'édition. On a vu que deux libraires parisiens, à l'indignation de Molière, avaient obtenu, par surprise, un privilège pour l'édition des *Précieuses ridicules* et de *Sganarelle*. Ils étaient encore bien bons de recourir au privilège. Les contrefaçons courent les rues. Avec une dextérité ou une mémoire surprenantes, certaines gens notent le texte entier d'une comédie et partent à franc étrier pour Bruxelles ou Amsterdam. Quelques jours après, la pièce revient imprimée à Paris, avant même que les libraires parisiens aient le temps de faire leur mise en pages. Certains éditeurs de Paris reprennent le stratagème à leur compte : ils impriment chez eux, à l'adresse d'Amsterdam, de Cologne ou de Bruxelles, lesdites contrefaçons. D'où une économie de temps, d'argent, et une chance quasi certaine d'échapper aux poursuites, tout en sauvegardant l'honneur de l'édition française, de tous temps la plus prisée.

Ces filouteries, ces mœurs douteuses, cette absence de règles n'excusent en aucune façon la conduite de Racine.

Molière avait reçu sa première pièce, *La Thébaïde,* il l'avait aidé, encouragé de ses conseils. Le fait d'avoir échoué dans le tragique n'empêche pas l'auteur du *Tartuffe* d'être un maître excellent dans l'art de construire une pièce. Il est désintéressé. Ne le serait-il pas que, sans rival dans la comédie, un jeune poète tragique ne peut que l'aider dans la lutte qu'il mène toujours contre l'Hôtel de Bourgogne. Mais il l'est, il aime le Théâtre, la qualité l'attire, Racine est jeune, plein de promesses, il lui tend la main, l'accueille et prend le risque de monter sa première pièce. Après un succès d'estime, et de faibles recettes, il s'opiniâtre, commande et encourage *Alexandre.* Racine a le droit d'être mécontent des acteurs et de la présentation. Il peut jusqu'à la dernière minute couper, transformer son œuvre, changer tel interprète, exiger tel nouveau travail. Il peut même se fâcher et retirer sa pièce discrètement ou avec éclat. Il n'a pas le droit de la laisser jouer, puis de préparer sournoisement sa représentation sur une scène rivale. Le secret dont s'entoure Racine, pour exécuter un dessein déjà discutable, le rend tout à fait abject.

Molière n'aura jamais un mot de reproche à l'égard de l'ingrat.

Mais, tandis que notre auteur voit sa préoccupation majeure distraite par ces mesquineries professionnelles, un événement capital le ramène brusquement à la politique.

Le 20 février 1666, le prince de Conti meurt âgé

seulement de trente-sept ans, en son château de La Grange des Bois.

Colbert, comme s'il n'attendait que cela, obtient de Sa Majesté la dissolution de la trop fameuse Compagnie du Très Saint Sacrement de l'Autel.

Le but que s'était fixé le Roi semble atteint. L'obstacle principal supprimé, Molière, sans encore se manifester, espère que son *Tartuffe* va réapparaître à la surface. Il est mal renseigné. Il devrait savoir que la reine Christine de Suède qui se trouve à Rome a fait demander à Louis XIV, par d'Alibert, son bibliothécaire, l'autorisation de se faire jouer *Tartuffe,* et que d'Alibert a reçu de M. de Lionne, secrétaire d'Etat aux Affaires étrangères en France, la réponse suivante : « Monsieur, ce que vous me demandez de la part de la Reine de Suède, touchant à la comédie de *Tartuffe,* que Molière avait commencée et jamais achevée (il était ou feignait d'être mal renseigné) est absolument impossible, et non seulement hors de mon pouvoir, mais de celui du Roi même, à moins qu'il n'usât de grave violence (c'est curieux pour un Roi absolu). Car Molière ne voudrait pas hasarder de rendre sa pièce publique, pour ne pas se priver de l'avantage qu'il peut se permettre et qui n'irait pas à moins de vingt mille écus (ceci est une tartufferie de plus, la Reine de Suède n'est pas directrice de théâtre). D'un autre côté le Roi ne peut pas employer son autorité (encore !) à faire voir cette pièce après en avoir ordonné lui-même la suppression avec grand éclat. »

Cette lettre est terrifiante. Elle prouve que la dissolution n'a diminué en rien la puissance de la Cabale qui fera des adeptes jusqu'à la Révolution.

La police secrète qui était fort bien organisée n'a

jamais ignoré l'action souterraine de la Cabale. Il semble même qu'elle ait reçu, de très haut, l'ordre de la laisser agir et même de la protéger en la contrôlant. Ainsi s'expliqueraient les contradictions apparentes de l'attitude du Roi à propos de *Tartuffe*.

Quand la Cabale menace son autorité, quand elle tend même à se substituer à lui, quand elle veut jouer le rôle que se promettait la Ligue sous Henri III, quand elle fait craindre une nouvelle Fronde Louis est impitoyable. Ajoutons à cela la haine qu'il porte à Conti auquel il ne peut s'attaquer directement et l'on comprend qu'il fasse tirer un coup de canon à blanc : « La représentation de *Tartuffe* en 1664 » ; puis qu'il interdise les réunions et qu'enfin, dès la mort du prince, il dissolve la Compagnie.

Le Roi va désormais fermer les yeux sur les travaux d'une puissance qui se réorganise en société secrète. Celle-ci, de son côté, évoluera rapidement et modifiera la direction de son ambition. Elle visait à un asservissement total de la puissance royale à son profit, elle aurait même été jusqu'au changement de dynastie. Elle va découvrir bientôt qu'il y a avec le Roi des accommodements : leurs intérêts peuvent aller de pair, l'époque de la violence et de la révolte ouverte est révolue. Si les excès et la tyrannie sont nécessaires, autant vaut désigner à Sa Majesté les jansénistes, puis les protestants. Peu à peu, par leur douce fermeté, par une patiente obstination et une feinte soumission, les dévots, quoique toujours interdits officiellement, formeront un parti bien plus puissant et bien plus adroit que ne le rêvait feu le prince de Conti.

Le Roi qui va glisser, insensiblement d'abord, puis avec détermination, vers la dévotion, se trouvera un jour, grâce à Mme de Maintenon, de plain-pied avec les confrères qui, remarquons-le, ne cesseront d'exercer dans l'Etat les charges les plus importantes.

Le Roi a gagné sur trois tableaux ; il a montré, par le *Tartuffe* composé et joué sur son ordre, qu'il avait les yeux ouverts, la mort de Conti l'a débarrassé d'un ennemi dangereux, la dissolution de la Confrérie a affermi son autorité. Faire jouer *Tartuffe* serait une maladresse politique. Il semblerait que Louis veuille narguer ses ennemis de la veille. Il n'a garde de tomber dans ce piège. Molière, tout aussi averti qu'il soit des intrigues de la Cour, ne comprend pas. S'il se révolte contre Conti en écrivant *Dom Juan,* il s'agit là d'une colère puissante. Pas de cris de rage, pas d'emportements, pas de faiblesse : Molière riposte avec violence. Il ne voit qu'un seul ennemi, et il l'attaque en face et de toutes ses forces. Il s'incline devant la décision du Roi et s'il montre de la surprise et quelque émoi, il n'est pas désemparé, loin de là. La meilleure preuve, c'est que tout en faisant jaillir *Dom Juan* de sa plume de feu, il travaille déjà à son *Misanthrope,* et nous savons que celui-ci lui a coûté deux ans d'efforts. Un homme abattu, comme il le sera après la deuxième interdiction, n'aurait pas pu se mettre à une œuvre qui réclamait autant de soin et qui exigeait non seulement du génie (lequel avait éclaté dans *Le Festin de Pierre*), mais du talent, une application rigoureuse, une stricte observance des règles.

En somme Molière prend patience, fait confiance à son Roi et travaille pour sa femme en travaillant pour lui. Il arrive qu'un auteur tombe amoureux d'un de ses personnages, qu'il éprouve pour lui de la tendresse, qu'il en ressente la cruauté, qu'il ait envie de l'atteindre, qu'il en souffre, qu'il en soit agacé, qu'il le force et qu'en fin de compte il lui cède et s'y soumette. Il y a de la volupté là-dedans. La pièce est d'ailleurs étrangement sensuelle. On ne peut douter que celui qui va devenir selon Boileau « l'auteur du *Misanthrope* » n'ait pas constamment eu le portrait de sa femme sous ses yeux. Création sublime, rôle unique dans tout le répertoire, cadeau somptueux fait à Armande la trop chérie. Son premier grand rôle : Célimène.

Molière ne se hâte pas. Commencée avant la première, et unique, représentation de *Tartuffe,* la pièce est représentée à Paris le 4 juin 1666, neuf mois après le petit crayon de *L'Amour médecin.*

Alceste amuse, le personnage qui pourrait devenir fatigant par son esprit systématique plaît grâce à sa générosité. Ses fraîches indignations ravissent le public. Son amour naïf l'attendrit. Molière oppose l'homme le plus désarmé (et peut-être se peint-il à travers lui) à la femme la mieux armée. Il la pare de toutes les grâces, lui donne la richesse, la beauté, le rang et la jeunesse. Les vingt ans de Célimène claquent avec insolence. Il l'a faite veuve pour la voir indépendante et il la prive d'un cœur pour la rendre inaccessible. C'est probablement là le personnage le plus audacieux, le plus neuf de toute son œuvre. Les interprétations romantiques que l'on voit encore (les comédiennes ne pouvant se résigner à ne pas aimer), la confusion que l'on entretient autour du mot « coquette », rendent mal la Célimène granit qu'a voulue Molière.

Là, malheureusement, ne se bornent pas les erreurs grossières d'interprétation : une des plus courantes, et qui, trois fois hélas, semble en passe de faire tradition, veut que l'on fasse de ces jeunes et mâles marquis qui ont nom Acaste et Clitandre et qui sont tout comme Alceste, Oronte et l'invisible vicomte les amants de Célimène, des mignons maniérés. M. Emile Dehelly, qui fut un Acaste et un Dorante incomparables, en a souvent fait la remarque avec surprise et indignation. C'est fausser, dit-il, complètement le sens de l'œuvre.

Le théâtre de Molière est un théâtre viril. Il doit le demeurer.

La construction du *Misanthrope* est déconcertante, tant elle est dépourvue d'artifices. Ah ! Molière est loin des précautions inutiles étalées dans *L'Etourdi*. Le sujet qui pourrait se prêter à la préciosité abonde en raccourcis foudroyants. Pas de verve inutile, pas de digressions, pas de thèses. La concision si rare aux auteurs est une des qualités premières de Molière. Les situations sont fortes et difficiles à déceler.

La pièce sera publiée l'année suivante précédée d'une « Lettre sur la comédie » dont l'auteur n'est autre que Donneau de Visé. Mais, dira-t-on, il n'y a pas encore trois ans qu'il comptait parmi les plus farouches ennemis de notre poète ? Tout a changé de face. Celui qui écrivait des comédies perfides contre *L'Ecole des femmes* s'est pris d'une admiration et d'un amour forcenés pour Molière, qui l'accueille, l'aide, et le conseille au point qu'une des comédies de de Visé, *La Veuve à la mode,* paraîtra chez le libraire Nicolas Pepingué dans les œuvres de Molière.

Une sorte de miracle peu commun dans les mœurs du théâtre s'est d'ailleurs produit : tous les ennemis de Molière ont fait amende honorable et se sont efforcés de gagner son amitié. Pourquoi ? Sentiments chrétiens de part et d'autre sans doute. Attitude conciliante du grand auteur, supériorité telle que toute lutte deviendrait impossible et même ridicule. Intérêt aussi peut-être. La situation du Palais-Royal est maintenant très forte, il ne serait pas désagréable d'y être joué. Pour toutes ces raisons qui honorent plus ou moins les intéressés, la paix est faite, très sincère et définitive. Il n'est pas exclu, d'ailleurs, que les dommages professionnels subis par Molière, à propos du *Tartuffe,* pour des motifs extra-professionnels n'aient réveillé certaines consciences et indigné des ennemis honnêtes.

Mais revenons au *Misanthrope*. C'est, dit-on, la pièce des connaisseurs. Or, par hasard, c'est le public du Palais-Royal qui en a la primeur. « Le lendemain de la première représentation qui fut très malheureuse, racontera Louis Racine, un homme qui crut faire grand plaisir à mon père courut lui annoncer cette nouvelle en lui disant : « La pièce est tombée ; rien n'est si froid, vous devez m'en croire, j'y étais. — Vous y étiez, reprit mon père, et je n'y étais pas ; cependant je n'en croirai rien, parce qu'il est impossible que Molière ait fait une mauvaise pièce. »

On dit que celui-ci s'y est peint lui-même en plusieurs endroits, notamment dans la scène où il ne répond que : « Monsieur... » aux protestations d'amitié d'Oronte.

Il aurait également pris sur le vif une saillie de Boileau devant lequel on citait Chapelain et qui s'était écrié : « A moins que le Roi ne m'ordonne expressément de trouver bon les vers de M. Chapelain, je soutiendrai toujours qu'un homme, après avoir fait *La Pucelle,* mérite d'être pendu. »

Cependant, en dépit d'une première représentation désastreuse, la pièce se rétablit, et c'est bien à tort que s'accrédite une légende qui voudrait que la pièce fût tombée.

Elle convenait mieux à un public raffiné comme celui de la cour. Cependant le public populaire, et c'est tout à son honneur, lui fit bon accueil. Mais Molière, qui trouve le spectacle un peu sévère pour lui, affiche deux mois après, avec *Le Misanthrope,* son joyeux *Médecin malgré lui.*

La pièce déchaîne le rire, le premier acte est un chef-d'œuvre de comédie, le deuxième un chef-d'œuvre de farce, le troisième, malheureusement, est un peu bâclé ; la pièce s'en ressentira toujours. N'importe elle est vive, ronde et gaie. Elle plaît au parterre que Molière, depuis *La Critique de l'école des femmes,* a en haute estime.

Ce ne sera pas le moindre mérite de notre auteur que de s'être approché du peuple et de l'avoir diverti sans le mépriser ni l'avilir. Molière ne s'abaisse pas. Il connaît son public parisien, il le sait foncièrement gai, sain, généreux, prompt à l'enthousiasme comme à la satire, faisant à sa guise ou d'après la lune jaillir l'échec ou le triomphe. Il le sert et il s'en sert.

On ne sait ce qu'il faut le plus admirer dans Molière, de ses chefs-d'œuvre, comme *L'Ecole des femmes, Tartuffe, Le Misanthrope* ou *Les Femmes savantes,* sur lesquels il a peiné pendant des mois, voire pendant des années, ou de ces farces écrites hâtivement, construites à la diable, créées pour les besoins de la troupe, ou sous la contrainte des circonstances, comme *Le Médecin malgré lui* ou *Les Fourberies de Scapin*.

Dans ces dernières, la science du métier éclate dans toute sa puissance. On a l'impression qu'il suffit de dire à Molière : il faudrait nous bâtir trois actes comiques pour renouveler l'affiche et que, sans se poser de question, exactement comme un bon ouvrier sait qu'il doit prendre, dans un ordre donné, sa scie, sa varlope, sa lime et son marteau, il se met à la besogne avec calme et sûreté. Voulez-vous du comique ? En voilà. Le génie vrai ou faux est à la portée de tout le monde. Pas le talent. Pas les rouages de la technique. C'est à ce moment qu'il retrouve le bénéfice de ses douze années de méditation itinérante, non seulement parce qu'il reprend des thèmes qui lui sont familiers, (on sait que *Le Médecin malgré lui*, c'est aussi le fagoteux, le fagotier, le médecin par force) mais surtout parce que l'habitude de l'improvisation l'a rompu à la construction comme la connaissance des réactions du public l'a amené directement à l'effet comique. Il procède autant par savoir que par sensation. Cela semble facile. Cela est grand. Les mots sortent, abondants et gras. Quelquefois le public actuel en a une seconde la respiration coupée, puis il se libère et rit. Jamais il ne se choque. Tout cela est trop sain.

En 1900, des acteurs pudibonds disaient « la gorge de la nourrice » au lieu des « tétons ». Le seul résultat était d'atteindre à la grivoiserie, en supprimant le comique. Il faut laisser aller Molière, il sait aller loin, jamais trop loin.

En décembre 1666 la cour sort du deuil imposé par la mort d'Anne d'Autriche. Louis XIV donne de grandes fêtes au château de Saint-Germain et la troupe du Roi y joue les deux premiers actes d'une pastorale héroïque intitulée *Mélicerte* que Molière n'achèvera jamais.

On y voit débuter un tout jeune comédien, un adolescent, qui deviendra le plus célèbre acteur de la scène française : Baron. Molière se prend tout de suite pour lui d'une amitié tendre et affectueuse que la calomnie aux yeux de certains fera passer pour plus que cela. Il le découvre, le protège et le fait sortir de la troupe de la Raisin.

Cette femme avait un moment émerveillé tout Paris avec une épinette magique. L'instrument posé au milieu de la scène jouait tout seul, obéissait très exactement aux ordres donnés de loin par la Raisin. On devine le subterfuge, un enfant était caché dedans. L'enfant, c'était Baron. Molière le voit, se l'attache et le fait débuter dans le rôle de Myrtil. A ce moment le ménage Molière ne va plus du tout. Lui a tenté plusieurs rapprochements. Par le truchement d'Alceste, il lui a fait comprendre la grandeur de son amour, et à quelles concessions il est prêt, tout comme l'Arnolphe du cinquième acte. En vain. Elle tourne obstinément le dos. Elle est insatisfaite, déçue aussi par la naissance de sa fille.

Son caractère se fait plus capricieux, plus volontaire, plus égoïste. Et cependant, il l'aime : « Sa grâce est la plus forte »... Il souffre. Il a besoin de le confier à quelqu'un, et il écrit à son ami Chapelle une lettre que l'on ne nous pardonnerait pas de ne pas citer tout entière :

« Je suis né avec la dernière disposition à la tendresse et comme tous mes efforts n'ont pu vaincre les penchants que j'avais à l'amour, j'ai cherché à me rendre heureux, c'est-à-dire autant qu'on peut l'être avec un cœur sensible. J'étais persuadé qu'il y avait fort peu de femmes qui méritassent un attachement sincère : que l'intérêt, l'ambition, la vanité font le nœud de toutes leurs intrigues. J'ai voulu que l'innocence de mon choix répondit à mon bonheur ; j'ai pris ma femme pour ainsi dire dès le berceau : je me suis mis en tête que je pourrais lui inspirer par habitude des sentiments que le temps ne pourrait détruire et je n'ai rien oublié pour y parvenir... Le mariage ne ralentit point mes empressements ; mais je lui trouvai dans la suite tant d'indifférence que je commençai à m'apercevoir que toutes mes précautions avaient été inutiles et que ce qu'elle sentait pour moi était bien éloigné de ce que j'aurais souhaité pour être heureux. Je me fis à moi-même des reproches sur une délicatesse qui me semblait ridicule et j'attribuai à son humeur ce qui était un effet de son peu de tendresse pour moi. Je n'eus que trop de moyens de me convaincre de mon erreur... Je pris dès lors la résolution de vivre avec elle comme un honnête homme qui a une femme coquette. Sa présence me fit oublier bien vite mes résolutions et les premières paroles qu'elle me dit pour sa défense me laissèrent si convaincu que mes soupçons étaient mal fondés, que je lui demandai pardon d'avoir été si crédule. Mes bontés ne l'ont point changée. Je me suis donc déterminé à vivre avec elle comme si elle n'était pas ma femme, mais si vous saviez ce que je souffre, vous auriez pitié de moi.

« Ma passion est venue à tel point qu'elle va jusqu'à entrer avec compassion dans ses intérêts ; et quand je considère qu'il m'est impossible de vaincre ce que je sens pour elle, je me dis en même temps qu'elle a peut-être la même difficulté à détruire le penchant qu'elle a d'être coquette et je me trouve plus de disposition à la plaindre qu'à la blâmer.

« Vous me direz sans doute qu'il faut être poète pour aimer de cette manière : mais pour moi, je crois qu'il n'y a qu'une sorte d'amour, et que les gens qui n'ont point senti de semblables délicatesses n'ont jamais aimé véritablement. Toutes les choses du monde ont du rapport avec elle dans mon cœur ; mon idée en est si fort occupée que je ne sais rien en son absence qui me puisse divertir. Quand je la vois, une émotion et des transports qu'on peut sentir, mais qu'on ne saurait exprimer m'ôtent l'usage de la réflexion, je n'ai plus d'yeux pour ses défauts, il en reste seulement pour ce qu'elle a d'aimable.

« N'est-ce pas là le dernier point de la folie, et n'admirez-vous pas que tout ce que j'ai de raison ne serve qu'à me faire connaître ma faiblesse, sans en pouvoir triompher. »

Cependant Armande, qui ne semble plus éprouver pour Molière aucun sentiment même tendre, même simplement admiratif ne supporte pas la présence de Baron. Elle est jalouse des attentions que son mari prodigue au jeune homme. Plus nerveuse que d'habitude, elle cède au cours d'une répétition de *Mélicerte* à un mouvement d'agacement et gifle le protégé de son mari.

Le résultat ne se fait pas attendre, et celui-ci quitte la troupe. Molière à grand-peine parvient à le retenir quelques jours, pour que s'achèvent sans scandale les fêtes du Roi. Mlle Molière a-t-elle prémédité son acte et porté la main sur Baron pour le déterminer à la fuite ? C'est possible. Molière, lui, est au désespoir.

A-t-on le droit de pousser au noir le caractère d'Armande ? Sans avoir positivement tort, son mari n'est-il pas pour beaucoup responsable des brouilles multiples qui surviennent dans le ménage ? Tous les contemporains s'accordent à dire que les soucis, les angoisses, la maladie, l'excès de travail, ont accentué chez Molière son penchant à la mélancolie et fait de lui un hypocondre.

Bien avant son mariage, il s'était acquis une solide réputation d'homme triste qui contrastait avec la gaieté qu'il mettait dans toutes ses pièces. Scarron, soit par prescience, soit par jugement professionnel, avait écrit dans son testament burlesque : « Je lègue à Molière le cocuage », dans sa *Pompe Funèbre* parue en 1660 il refuse notre auteur pour son successeur le jugeant : « un bouffon trop sérieux ».

La même année, dans *Le songe du rêveur*, on trouve ce petit vers : « Molière qui n'est pas rieur », et dans son fameux dictionnaire Bayle écrira : « Médecin, guéris-toi toi-même ». Molière qui divertissez tout le public : divertissez-vous vous-même.

Il n'est pas rare de rencontrer ces sortes de contraste au théâtre, principalement chez les auteurs et les acteurs comiques.

La peinture des caractères humains dans laquelle il se plongeait tout entier n'était pas faite non plus pour lui rendre l'humeur joyeuse. Philosophie, hypocondrie, atrabile, de tout cela Mlle Molière n'a cure. Peut-on l'en blâmer ? Loret au moment de *La Princesse d'Elide* écrivait :

L'actrice au joli visage
Qui joue icelui personnage
Le représente au gré de tous
D'un air si charmant et si doux.

L'année suivante, Robinet surenchérissait à propos de l'*Alexandre* de Racine où elle jouait Cléofile :

O justes Dieux, qu'elle a d'appas
Et qui pourrait ne l'aimer pas.

Plus tard, on lira dans les entretiens galants : ... « Si elle retouche quelquefois à ses cheveux, si elle raccommode ses nœuds et ses pierreries, ses petites façons cachent une satire judicieuse et naturelle. Elle entre par là dans le ridicule des femmes qu'elle veut jouer ; mais enfin avec tous ces avantages, elle ne plairait pas tant si sa voix était moins touchante. » Et puis elle a vingt-quatre ans.

Il y a de quoi en être fou. Molière l'est ! Il l'est mal. Il y a des folies d'amour qui peuvent rendre une femme heureuse. La sienne n'est pas de celles-là.

Ainsi l'année 1667 commence-t-elle mal. Il travaille peu. Il écrit sur l'ordre du Roi, une petite comédie-ballet, *Le Sicilien,* que la troupe joue encore à Saint-Germain le 14 février.

Le départ de Baron, les caprices cruels de sa femme, l'ont atteint moralement et ont sans doute accéléré le mal dont il souffre.

Pendant deux mois et demi Molière gravement malade va rester éloigné du théâtre.

Dans sa lettre du 17 avril Robinet dit :

Le bruit a couru que Molière
Se trouvait à l'extrémité
Et proche d'entrer dans la bière.

Il n'en est heureusement rien. Notre homme se remet doucement. Ses forces reviennent, il médite un coup d'éclat qu'il prépare avec habileté. Le 31 juillet, comme pour assurer ses arrières, il va lire *Tartuffe* chez Madame, qui de tout temps lui a été favorable et qui sera en cas de besoin un bon avocat près du Roi, et le 5 août, alors que personne n'y pense plus, il joue une comédie intitulée *L'Imposteur,* qui n'est autre que *Tartuffe.*

Le lendemain, un huissier de la cour du Parlement vient de la part du premier président M. de Lamoignon, défendre la pièce. Les comédiens en arrivant au théâtre voient les affiches arrachées par le guet, et la porte fermée et gardée.

Le Roi est absent. Molière, qui sent dans l'ombre la main invisible de la Cabale, décide de l'aborder de front. Il demande audience à Lamoignon qui le reçoit (il aurait pu ne pas le faire). Boileau l'accompagne et le présente. « Molière, raconte Brossette qui tenait ce récit de la bouche même de Despréaux, explique le sujet de sa visite. M. le premier président répondit en ces termes : « Monsieur, je fais beaucoup de cas de votre mérite ; je sais que vous êtes non seulement un acteur excellent, mais encore un très habile homme, qui faites honneur à votre profession et à la France, votre pays. Cependant, avec toute la bonne volonté que j'ai pour vous, je ne saurais vous permettre de jouer votre comédie. Je suis persuadé qu'elle est fort belle et fort instructive ; mais il ne convient pas à des comédiens d'instruire les hommes sur les matières de la morale chrétienne et de la religion : ce n'est pas au théâtre à se mêler de prêcher l'Evangile. Quand le Roi sera de retour, il vous permettra, s'il le trouve à propos, de représenter le

Tartuffe, mais pour moi, je croirais abuser de l'autorité que le Roi m'a fait l'honneur de me confier pendant son absence, si je vous accordais la permission que vous me demandez. »

« Molière, qui ne s'attendait pas à ce discours, demeura entièrement déconcerté, de sorte qu'il lui fut impossible de répondre à M. le premier président. Il essaya pourtant de prouver à ce magistrat que sa comédie était très innocente, et qu'il l'avait traitée avec toutes les précautions que demandait la délicatesse de la matière du sujet ; mais quelques efforts que put faire Molière, il ne fit que bégayer et ne put calmer le trouble où l'avait jeté M. le premier président. Ce sage magistrat, l'ayant écouté quelques moments, lui fit entendre, par un refus gracieux, qu'il ne voulait pas révoquer les ordres qu'il avait donnés et il le quitta en lui disant : « Monsieur, vous voyez qu'il est près de midi, je manquerais la messe, si je m'arrêtais plus longtemps. »

Molière, en recomposant la troisième version de sa pièce, se souviendra de cette réplique qu'il mettra dans la bouche de Tartuffe à la fin de la première scène du quatrième acte. Est-il utile de préciser que Lamoignon est un des membres importants de la Compagnie.

Trente-huit ans plus tard, Grimarest écrira au fils du premier président : « Monseigneur, je me donne l'honneur de vous envoyer l'article de la vie de Molière qui regarde le *Tartuffe*, sur ce que M. de Fontenelle m'a dit que vous doutiez de la discrétion et du respect que je devais avoir en rapportant ce fait. »

Le fils avait comme le père adhéré à la Cabale. Trente-deux ans après la mort du poète, Grimarest entreprendra de conter sa vie à sa manière, sans audace, sans prendre parti et presque sur le seul témoignage de Baron qui, nous le verrons, va se révéler suspect ; or en 1705 Grimarest tremblera encore de peur à la pensée d'aborder le drame de l'interdiction de *Tartuffe*. Tout de suite il parlera de discrétion. Il fallait donc être discret. Il y avait donc tant de choses à cacher.

Molière, à peine sorti de chez M. le premier président, court chez Madame. Elle a entendu, il y a quelques jours à peine, la pièce lue par l'auteur lui-même, elle a daigné en rire, elle a probablement encouragé Molière qui se prévaut d'une autorisation verbale du Roi. Molière l'émeut, il la supplie d'intervenir, et Madame envoie M. Delaveau un de ses officiers chez Lamoignon. Le premier président se contente de répondre qu'il sait bien ce qu'il a à faire et qu'il aura l'honneur de voir Madame. Il lui fait, en effet, une visite quelques jours après, mais cette princesse ne trouve pas à propos de lui parler du *Tartuffe*.

Il n'y a plus que le recours au Roi. Molière qui ne peut pas quitter Paris envoie deux de ses comédiens à Lille que Louis XIV assiège.

La Grange et La Thorillière prennent à cheval la route des Flandres, porteurs du deuxième placet écrit par Molière au sujet de *Tartuffe*. Cette équipée ne manque ni d'audace, ni de grandeur. Le départ de ces deux comédiens a quelque chose d'héroïque et de touchant, Molière par ce geste, montre sa confiance dans son souverain et sa certitude en son bon droit.

La Grange et La Thorillière arrivent à Lille : « Nous fûmes très bien reçus, écrira La Grange au retour, Monsieur nous protégea, à son ordinaire, et Sa Majesté nous a fait dire qu'à son retour à Paris, il ferait examiner la pièce de *Tartuffe* et que nous la jouerions. » Des bonnes paroles et rien de plus. Rien n'est perdu, si le Roi tient sa promesse, mais la tiendra-t-il ?

A Paris la situation s'est aggravée. Comme s'il voulait contraindre davantage Louis XIV au silence, l'archevêque de Paris, Hardouin de Péréfixe, publie le 11 août (trois jours après le départ des comédiens) une ordonnance faisant défense à toutes personnes de son diocèse « de représenter, lire, entendre ou réciter ladite comédie soit publiquement, soit en *particulier,* sous peine d'excommunication ».

Finies les lectures privées. Finies les représentations chez les grands. L'étau se resserre, Molière est atterré. Quel auteur, quelle pièce ont dans le cours des siècles suscité pareille interdiction, pareil déchaînement de haine ?

Molière est d'autant plus déconcerté qu'il a beaucoup adouci son *Tartuffe.* Il s'en explique au Roi dans son placet :

« Ma comédie, Sire, n'a pu jouir ici des bontés de Votre Majesté. En vain je l'ai produite sous le titre de *l'Imposteur,* et déguisé le personnage sous l'ajustement d'un homme du monde ; j'ai eu beau lui donner un petit chapeau, de grands cheveux, un grand collet, une épée, et des dentelles sur tout l'habit, mettre en plusieurs endroits des adoucissements, et retrancher avec soin tout ce que j'ai jugé capable de fournir l'ombre d'un prétexte aux célèbres originaux du portrait que je voulais faire : tout cela n'a de rien servi. La *Cabale* s'est réveillée aux simples conjectures qu'ils ont pu avoir de la chose. *Ils* ont trouvé moyen de surprendre des esprits qui, dans toute autre matière, font une haute profession de ne se point laisser surprendre. Ma comédie n'a pas plutôt paru, qu'elle s'est vue foudroyée par le coup d'un pouvoir qui doit imposer du respect ; et tout ce que j'ai pu faire en cette rencontre pour me sauver moi-même de l'éclat de cette tempête, c'est de dire que Votre Majesté avait eu la bonté de m'en permettre la représentation, et que je n'avais pas cru qu'il fût besoin de demander cette permission à d'autres, puisqu'il n'y avait qu'Elle seule qui me l'eût défendue. »

C'est au fond le récit de la visite à Lamoignon qui se trouve ici implicitement montré du doigt.

Ainsi Molière désigne d'abord et sans ambage ses ennemis : *ils,* la *Cabale.* Il n'a pas de précaution à prendre avec le Roi qui a commandé l'ouvrage il y a déjà trois ans.

Ensuite il montre, par opposition, ce qu'était le premier *Tartuffe.* Déjà l'on savait qu'à propos de celui-ci, des gens qui pensaient au marquis de Fénelon avaient dit que Molière aurait mieux fait de donner à son personnage une épée plutôt qu'une soutane.

C'est chose faite. Si Molière vient de donner à son personnage de grands cheveux (le fait est d'importance), un grand collet et une épée, c'est qu'il ne les avait pas, et s'il ne les avait pas, c'est que c'était un homme d'église, on imagine alors l'émotion soulevée à Versailles par cet ecclésiastique caressant la femme de son bienfaiteur.

Il y avait à cette époque nombre d'ecclésiastiques qui n'étaient pas prêtres. Une charge s'achetait comme aujourd'hui un bureau de tabac. N'importe, l'habit était le même, et à cette lumière on comprend mieux l'interdiction du Roi.

Mais Molière a tout changé. Son hypocrite est un seigneur, ou plutôt un faux seigneur, un fourbe renommé, dont sous un autre nom le Roi est informé. Tout laisse entendre que c'est même un repris de justice. Pourquoi alors s'effaroucher ! C'est ce que ne peut comprendre Molière qui insiste sur les retranchements et les adoucissements. Ils devaient donc être nombreux. L'on frémit en pensant à la première pièce, et l'on enrage de ne pas la connaître. En somme la comédie que nous lisons, qui nous paraît si audacieuse, si violente, n'est, au dire de Molière, qu'une bergerie auprès de l'originale.

Mais il a beau dire et beau faire ; rien ne fléchit Lamoignon appuyé maintenant par Péréfixe.

Enfin le Roi revient à Paris ; hélas ce n'est pas pour tenir la vague promesse faite à Lille aux comédiens. Ce Roi absolu, qui ne tient peut-être plus lui-même à ce qu'on joue *Tartuffe,* ne veut pas aller contre la volonté de l'Eglise, contre celle du Parlement, ni s'opposer sur ce plan aux desseins d'une Compagnie qu'il vient de dissoudre.

Molière reste comme hébété. Que se passe-t-il ? Ne vit-il pas sous un monarque absolu ? Un vertige atroce l'envahit, une angoisse l'étreint. Il se sent comme cerné par des forces invisibles. Il découvre la puissance des sociétés occultes. Il ne comprend pas comment « les nains », suivant l'expression de Victor Hugo, peuvent avoir raison sur lui, et cette incompréhension ajoute à son désarroi. Connaître ses ennemis, les attaquer de front, de côté, ou par-derrière, recevoir des coups, en donner, vaincre ou succomber c'est la règle du jeu. Mais frapper dans le vide, croire que l'on possède la lumière et lutter en aveugle, ignorer d'où part la gifle, n'en discerner ni l'origine ni les raisons, ne trouver que visages de bois, dérobades, murs infranchissables, explications hypocrites, voilà ce qui mène un homme sur le chemin du désespoir.

Amertume ? Aigreur ? Molière ne saura jamais le sens de ces mots. Son âme ignore la médiocrité. Il sait qu'il faut, quoi qu'il arrive, garder l'enthousiasme, mais il ne comprend pas. Il cherche à pénétrer le secret de cette conspiration formidable faite autour de lui. Pourquoi le Roi n'intervient-il pas ? Son pouvoir connaîtrait-il des limites ? A cette pensée Molière frémit. Il entrevoit, dans une sorte de brouillard cauchemardesque, des fantômes étranges qui s'approchent, grandissent, deviennent gigantesques, qui tirent sur un fil et qui s'évanouissent pour faire place à d'autres. Et cela ne cesse pas. Le Roi en est enveloppé. Il semble même en être heureux. Ce sont ses abeilles.

Molière, avec peine, avec chagrin, découvre soudain qu'il a été berné. Il est maintenant au fond du gouffre et il passe du désarroi au désespoir. Il se demande si les hommes méritent même d'être peints. Il jette sa palette et ses pinceaux. Il va continuer la lutte, cela est dans sa nature, mais son combat ne revêtira pas la forme de celui qui avait suivi la première interdiction. En 1664 et en 1665, il avait crié, tempêté, fulminé, éclaté de colère et d'indignation. En 1667, il va frapper à toutes les portes. Il se justifie. Il veut toujours vaincre (se taire serait accepter une condamnation injuste) mais son glaive s'est changé en armure. Au lieu de rendre coup sur coup, il cherche à les éviter. Il n'a pas peur, mais il doute. Il doute des hommes. Il doute de lui-même et il commence à douter de son Roi. Il erre dans Paris, désabusé, désœuvré, anéanti. Le plus souvent on lui tourne le dos. Et puis, l'imagination aidant, il se traite lui-même en pestiféré.

Cependant la guerre pour *Tartuffe* continue dans l'ombre. Et comme il arrive souvent en pareille circonstance, le trop de haine suscite des réactions. La Cabale a imposé le silence, mais il ne faut pas croire qu'elle a gagné tout Paris.

Le prince de Condé, dont la sévérité augmente avec les ans, aime Molière et le tient en haute estime. Par esprit politique autant que par admiration, il jette sa célèbre épée dans la balance et prend parti pour *Tartuffe* avec une audace plus dangereuse peut-être que celle qu'il a fait voir jadis à Lens et à Rocroi. Bravant l'interdit jeté six mois plus tôt par l'archevêque de Paris, il fait jouer la pièce en son hôtel le 4 mars 1668. Cela se fait sans éclat, mais cela se fait. M. le Prince et ses invités seront-ils excommuniés ? « Selon que vous serez puissants ou misérables... » L'archevêque recule devant le scandale mais la haine de la Cabale pour Molière ne fait que s'accroître. Au moins d'août Condé récidive et donne une nouvelle représentation dans son château de Chantilly. Il semble qu'il veuille davantage encore narguer le prélat en faisant jouer la pièce hors des limites du diocèse.

Molière saisira la première occasion qui s'offrira à lui de remercier le prince et il lui dédiera *Amphitryon*. Il y louera les lumières de son esprit, l'intrépidité de son cœur et la grandeur de son âme.

« Le nom du Grand Condé, écrira-t-il, est un nom trop glorieux pour le traiter comme on fait de tous les autres noms... et je conçois bien mieux ce qu'il est capable de faire en l'opposant aux forces des ennemis de cet Etat qu'en l'opposant à la critique des ennemis d'une comédie. »

Ce sera la dernière dédicace de Molière en tête d'une de ses œuvres. Les dix pièces qui vont suivre ne seront offertes à personne. A quoi bon ?

Titon du Tillet conte qu'un jour, Molière étant à la table du prince, les pages qui y servaient, ne cherchant qu'à badiner et voulant empêcher Molière de manger les bons morceaux qu'on lui présentait, Molière s'en étant aperçu prit promptement une aile de perdrix, qu'on ne faisait que poser sur son assiette ; le page qui vint pour lui ôter son assiette ne fut pas assez alerte et ne retira que l'os de cette aile de perdrix, ce qui fit rire Molière. M. le Prince lui en demanda la raison ; il lui répondit : « Monseigneur, c'est que les pages ne savent pas lire ; ils prennent les O pour les L. »

Ceci rappelle étrangement le souper de Dom Juan et le jeu des assiettes entre Sganarelle, Ragotin et la Violette.

Condé avait depuis longtemps dit à Molière : « Je vous fais venir peut-être trop souvent, je crains de vous distraire de votre travail. Aussi je ne vous enverrai plus chercher, parce que je vous prie à toutes vos heures vides de me venir trouver. Je quitterai tout pour être à vous. »

On l'entendit, au sortir d'une de ces conversations qui duraient quelquefois trois ou quatre heures, dire publiquement : « Je ne m'ennuie jamais avec Molière, c'est un homme qui fournit de tout ; son érudition et son jugement ne s'épuisent jamais. »

On connaît le mot de ce grand prince sur la comédie du *Tartuffe*.

« Huit jours après qu'elle eut été défendue, on

représenta devant la Cour une pièce intitulée *Scaramouche ermite*, et le Roi en sortant dit au prince de Condé : « Je voudrais bien savoir pourquoi les gens qui se scandalisent si fort de la pièce de Molière, ne disent mot de celle de *Scaramouche* ? » à quoi le prince de Condé répondit : « La raison de cela, c'est que la comédie de *Scaramouche* joue le ciel et la religion, dont ces messieurs-là ne se soucient point, mais celle de Molière les joue eux-mêmes ; c'est ce qu'ils ne peuvent souffrir. »

Cela dit tout. Le Roi ne rétorque rien. C'est l'abandon. Il y a comme cela, dans toutes les guerres, des troupes que l'on sacrifie délibérément.

La santé de Molière s'est altérée, son moral est navrant, il est dans un état dépressif. Son équilibre menaçant d'être atteint à son tour, il retrouve, au fond de son déchirement, un peu de sagesse. Il ferme son théâtre, il offre à ses comédiens de leur rendre leur liberté. Ceux-ci refusent les larmes aux yeux. Il s'arrache alors à son travail, à son milieu, à l'ambiance envoûtante de la scène et des coulisses, il songe à la retraite, il est près de l'abandon définitif, mais avant de se décider au renoncement, il comprend qu'il se doit d'être un homme, il prend donc du recul, loue une petite maison à Auteuil et, il essaie de ne penser qu'à respirer.

L'APPEL DU MÉTIER

VIII

L'APPEL DU METIER

C'EST à sa santé que Molière doit penser en premier lieu, sa toux chronique a augmenté, un surmenage moral, joint aux soucis auxquels il vient de faire face, aux épreuves qui restent à surmonter, met momentanément en péril son système nerveux. Une ulcération de l'estomac va le contraindre pendant plusieurs années au régime lacté, il en sentira très vite les bienfaits. Il a toujours été sobre. On peut rêver, projeter, s'exciter dans l'ivresse, on ne peut rien réaliser. Cette fois ce sera plus que de la sobriété. Pour dominer ses nerfs, durcir sa volonté et calmer ses angoisses, il s'impose une discipline alimentaire rigoureuse.

Il mène à Auteuil une vie de philosophe. Il y reçoit ses amis de toujours Bernier et Chapelle qui furent comme lui, l'on s'en souvient, élèves de Gassendi. Il y reçoit le cher Boileau, Jonzac, Nantouillet et La Fontaine.

Peu à peu la gaieté revient. L'on sait qu'à la suite

d'un dîner trop copieux Chapelle ivre mort conçoit le projet d'en finir avec la vie et de s'aller jeter dans la Seine toute proche. Molière fait comprendre à son ami qu'une décision aussi importante ne peut être prise qu'après mûre réflexion, la nuit, dit-il portera conseil et dès demain vous pourrez mettre à exécution ce noble projet avec tout le recueillement qu'il mérite. Chapelle se rend à ce raisonnement et bien entendu la nuit passée et le vin cuvé il ne pense plus à sa funeste idée.

Un autre soir, La Fontaine soutient contre Molière que les *a parte* du théâtre sont contre le bon sens. « Est-il possible, dit-il, qu'on entende des loges les plus éloignées ce que dit un acteur, et que celui qui est à ses côtés ne l'entende pas ? » Puis il se plonge dans sa rêverie ordinaire. A ce moment, Boileau clame très haut que La Fontaine est un grand coquin et dit longtemps du mal de lui sans que l'autre s'en aperçoive. Tout le monde éclate de rire et l'on explique au Bonhomme qu'il lui faudra désormais moins condamner les *a parte*.

Il eût pu répondre que la distraction n'avait rien à voir avec les principes de l'art dramatique et que la démonstration n'avait rien de probant. Peut-être le fit-il ?

L'amitié apporte ainsi ses heures de détente, la chaleur se fait plus vive, on reprend goût aux projets, mais viennent ensuite les heures solitaires où la crainte de ne plus être ce qu'on a été vous assaille. L'esprit alors semble vide, plus on cherche, moins on trouve. Molière tente de bâtir des comédies, certaines situations apparaissent, des personnages excellents surgissent, il va se précipiter sur sa plume. Non, un sens critique exacerbé qui n'est autre qu'un excès de fatigue lui fait tout abandonner, tout déchirer. Des sujets il en a mille. L'humanité est là sous ses yeux, il n'a qu'à peindre, hélas il ne voit plus rien et surtout il craint de ne savoir plus tenir un pinceau.

Le temps fait son œuvre d'abord cruelle, l'artiste en proie à cet état a l'impression de descendre encore davantage dans l'abîme, mais insensiblement un trait se dessine, les couleurs se présentent, un sourire s'esquisse, le sang circule plus librement, c'est la vie qui reprend ses droits. Une présence aimée accélérerait la guérison, mais Mlle Molière ne vient presque jamais à Auteuil. En vraie duchesse qu'elle croit être, elle dédaigne les plaisirs de la campagne. Et puis les époux, en dehors des obligations professionnelles, se trouvent mieux de n'être point ensemble.

La du Parc, sous la pression de Racine, vient de quitter la troupe avec éclat. Ce n'est donc pas elle qui fera le voyage d'Auteuil, mais Mlle de Brie vers laquelle une fois de plus Molière tourne ses regards.

Celle qui fut la tendre Agnès et qui joue le rôle à la fois ingrat et charmant de consolatrice habite avec son mari dans la maison du ménage Poquelin. Au moment où notre homme part pour Auteuil et abandonne en quelque sorte le domicile conjugal elle a le tact de déménager et se retire au Faubourg Saint-Germain.

Elle est très jolie, bien faite, bonne actrice dans le comique comme dans le tragique. Elle danse et chante à ravir. C'est un réflexe masculin bien connu : un homme délaissé éprouve, par orgueil, par désespoir, par besoin, le désir à la fois violent et impatient d'une présence féminine.

De Brie est un mari accommodant quoique d'un caractère difficile et querelleur. Sa femme est discrète, adroite et, si l'on s'en rapporte au portrait que l'auteur fait d'elle dans *L'Impromptu de Versailles* : « Elle est une de ces femmes qui pensent être les plus vertueuses personnes du monde, pourvu qu'elles sauvent les apparences ; de ces femmes qui croient que le péché n'est que dans le scandale, qui veulent conduire doucement les affaires qu'elles ont sur le pied d'attachement honnête et appellent amis ce que les autres nomment galants. »

Pour le moment, elle a une grande qualité : elle est là.

C'est un fait assez remarquable que Molière, toujours prêt à tenir sur les fonts baptismaux les rejetons de ses camarades, ne sera pas le parrain d'un seul des enfants de Catherine de Brie.

Madeleine Béjart aussi est là.

Devenue sévère et forte, restée douce et fidèle, elle calme Molière en le secouant. L'autorité de Madeleine en toutes choses a de tout temps été reconnue. Il lui a rendu hommage dans *L'Impromptu de Versailles* sur le plan professionnel. Elle a des idées à émettre, des suggestions habiles à faire sur leur art commun. Elle a des conseils à donner au sujet de l'être qu'elle connaît si bien, que son Jean-Baptiste a épousé et vers lequel elle veut le ramener quoi qu'il lui en coûte.

Molière amant ? Molière trompant sa femme ? On n'y pense pas tout d'abord. S'agit-il vraiment de tromper ? Il adore Armande et ne rêve que de la posséder, mais de refus en refus, l'homme tourne ses regards dans une autre direction. L'occasion est là. Le théâtre ne fourmille pas que de jolies femmes, mais il en existe. Elles n'y sont ni plus honnêtes, ni plus légères qu'ailleurs, mais il règne dans la profession un certain air de liberté qui ose appeler « galant » ce que les autres appellent « amis ».

On ignore les aventures sans conséquences de Molière, elles durent être peu nombreuses et bien discrètes. Rien qui ressemble à un tableau de chasse. Seule Mlle de Brie, encore qu'il ne faille jurer de rien, fut aimée dans la quiétude et la douceur.

Ce n'est toutefois pas la femme qui va remettre notre homme sur le chemin de Paris, mais le théâtre.

On n'abandonne pas comme cela un métier qui tient de l'art, de l'artisanat et de la sorcellerie, qui est fait de passion, de luttes, d'incertitude, de doutes grandissant avec l'âge, de réussites et d'échecs tracés en dents de scie. Métier dans lequel, disait Louis Jouvet, il n'y a pas d'expérience et pour lequel il faut sans cesse tout recommencer et tout apprendre.

Par une bizarrerie étrange, ce n'est pas l'auteur qui va le ramener vers la scène. Il y a dans un théâtre des senteurs particulières, des microbes spéciaux, un air vicié, des poussières de moisissure. Qui ne prend pas plaisir à les humer, qui ne s'en nourrit pas, qui n'en garde pas la nostalgie, ne peut prétendre à être de race.

Au fur et à mesure que ses forces reviennent, l'envie le reprend de repasser la petite porte qui mène aux loges des comédiens et de là au plateau. Toute la machine dramatique, ô combien compliquée, dont aucun des rouages ne lui est inconnu, va se remettre en marche.

En premier lieu viennent les auteurs. Molière ne joue pas que ses pièces. Corneille et Racine mis à part, voici quelques noms parmi ceux qui eurent l'honneur d'être reçus, mis en scène et quelquefois joués par le plus illustre homme de théâtre que le monde ait connu.

Scarron, Tristan, Magnon, Rotrou, De Visé, du Ryer, Brécourt, de Prade, Gilbert, Chapuzeau, Coqueteau de la Clairière, Saint-Gilles, Mlle Des Jardins, Desmarets de Saint-Sorlin...

L'auteur n'est pas un personnage facile. Dix fois plus susceptible que le plus vaniteux des comédiens, c'est un perpétuel écorché vif. On ne rencontre pour ainsi dire que des Oronte et des Lysidas. Leur sentiment est d'ailleurs compréhensible. S'il mérite un grain de moquerie, il serait stupide d'en nier les raisons. L'auteur a porté son œuvre, il s'en est déchargé, il l'a polissée, remaniée, coupée, transformée. Il est passé jour après jour de l'exaltation au découragement. Il hésite entre les exigences qu'il va montrer pour céder sa pièce et la mise au panier. Il se décide enfin. Bienheureux le directeur qui peut éviter la lecture à haute voix et qui réussit à se faire confier le manuscrit. L'auteur qui tient absolument à lire sa pièce lui-même poursuit deux buts, le premier, futile, qui consiste à se faire plaisir, le second, plus sournois, vise à compromettre le directeur qui par politesse, l'audition ayant été faite à dessein devant témoins, se voit obligé à lâcher quelques phrases aimables. On assiste alors à une partie d'escrime surprenante au cours de laquelle le chef de troupe cherche constamment l'esquive et l'auteur l'engagement.

« Parlez-moi, je vous prie, avec sincérité », dit l'écrivain. Que le comédien ou le metteur en scène s'en garde bien s'il ne veut pas se faire un ennemi mortel et, de plus, passer pour un sot.

Ne s'agit-il que de quelques retouches ? L'auteur les fera facilement. Des modifications profondes ? Il les apportera avec bonne humeur. Des coupures considérables ? Il supprime tout ce qu'on veut, la chose est bien connue ; mais qu'avant tout, n'est-ce pas, on reçoive sa pièce. Tout s'arrangera, comme ils disent, à l'avant-scène.

La pièce reçue, le ton change : « Mes droits, mes mots, mes virgules, mes intentions, mes personnages, je n'admets pas que... On ne passera pas ma pièce dans ces conditions... Je refuse le décor... J'exige le changement de tel interprète... On ne coupera pas une ligne de cette scène qui doit faire un effet énorme ; d'ailleurs je n'ai écrit la pièce que pour elle. »

Nous devons à l'honnêteté de reconnaître qu'il y a du vrai là-dedans et aussi qu'il existe des exceptions, peu nombreuses, mais il en existe.

On trouve chez les auteurs, comme chez les comédiens, des timides, des orgueilleux, des modestes, des dociles, des irréductibles et des craintifs qui sont généralement les plus vaniteux. Il faut jouer de tout cela et ne voir que le talent qui peut ne pas manquer aux uns comme aux autres.

Le caractère du créateur va d'ailleurs se montrer au grand jour au cours des répétitions, puis le soir de la Première, enfin, selon le résultat obtenu, pendant les représentations.

Il en est qui, arrivés dix minutes avant le premier comédien et partis une heure après le dernier, ne ratent pas une seule séance de travail. Ils ont, vis-à-vis du metteur en scène, les inquiétudes d'une mère qui confierait son enfant à une nourrice et ne pourrait malgré tout s'empêcher de le langer ou de lui donner elle-même le biberon. Ils tressaillent si le comédien change un mot par un autre. Ils bondissent devant une intention mal comprise. Ils sont souvent très compétents, il y a beaucoup à apprendre d'eux et de leur exigence. Ils ont droit au respect et de toutes façons ce sont eux qui ont raison. Le comédien devrait le comprendre ou ne pas jouer leurs pièces.

Il y a ceux qui ne viennent jamais ou presque jamais. Ils font confiance à l'animateur et ne réapparaissent qu'au dernier moment pour juger du résultat. Il en est un qui ne fait qu'entrer et sortir. Il reste absent une demi-heure, fait brusquement irruption dans la salle et dit : « C'est cela, c'est tout à fait cela. » Ou au contraire : « Ce n'est pas le ton. Le personnage, à ce moment doit être dans telle situation. » Puis il tourne les talons et disparaît aussi rapidement qu'il est entré. Chose tout à fait surprenante, ses interventions, pour brèves qu'elles soient, si elles irritent et dérangent quelquefois metteur en scène et acteurs, sont d'une justesse remarquable.

Mais avant de répéter, il faut aborder certains problèmes. La question du choix du décorateur était tout de suite réglée à l'époque. Certes il y a les Inigo Jones, les Torrelli, et les Berain, mais le plus souvent l'on se contente non sans raison d'une décoration passe-partout.

Le mémoire de Mahelot et de Laurent indique le lieu de la scène : pour *L'École des femmes* : « le théâtre est deux maisons sur le devant et le reste est une place de ville ». Pour *Le Misanthrope* et le *Tartuffe* : « le théâtre est une chambre ». Pour *L'Avare* : « le théâtre est une salle ». Pour nombre de tragédies, c'est « un palais à volonté »...

Au fond cela était mieux ainsi. La décoration suffisamment suggestive situait l'action et le texte prenait sa vraie place : la première. Il y avait encore des critères à l'époque. Le principal était... l'écriture.

Jusqu'à une date indéterminée mais que l'on peut situer entre le *Cid* et *les Précieuses ridicules,* les marquis n'avaient pas encore envahi la scène qui se trouvait donc assez large pour supporter le décor multiple.

Le spectateur avait constamment sous les yeux plusieurs lieux très différents et le personnage pouvait sortir de sa maison et ne faire que trois pas pour se trouver perdu dans une forêt.

Par quel mystère des spectateurs privilégiés montèrent-ils sur la scène ? On peut penser que la difficulté où ils étaient de distinguer les visages des comédiens, par suite de la quasi-obscurité dans laquelle se déroulaient les représentations, les fit se rapprocher d'abord des chandelles, puis leur donna l'audace de franchir la rampe. La mode et la vanité firent le reste. Il faudra attendre Voltaire pour voir ces importuns délogés définitivement.

Molière lui les subira durant toute sa vie. Ses comédiens ne jouaient donc pas *dans* des décors comme nous avons l'habitude de le faire, mais *devant* des décors. Toute la partie avancée de la scène était emplie de spectateurs de choix. Ils étaient si nombreux, que l'aire de jeu réservée aux acteurs se trouvait réduite à ce point que deux d'entre eux avaient quelquefois peine à s'y maintenir ensemble.

L'action se passait donc dans un très petit espace. Elle se trouvait bordée sur les côtés d'une assemblée perpétuellement en mouvement et avait pour fond, mais pour fond seulement, un décor qui la situait.

Le jour venait aussi de la première lecture aux comédiens et de la distribution des rôles. Double épreuve. L'auteur fait toujours là une première expérience qui lui est très profitable. Il ressent, chose curieuse, en même temps que les comédiens, les passages fatigants, les longueurs et les redites. Il vérifie sur eux et avec eux les effets qui se font... et... ceux qui ne se font pas...

Epreuve aussi pour les comédiens qui écoutent la pièce en se demandant surtout quel rôle leur échoiera. Il y a de nos jours un éventail d'acteurs très étendu. A l'époque de Molière on puisait obligatoirement dans la troupe. La déception était grande quand on se voyait attribué La Merluche alors qu'on espérait La Flèche. Mais on se plaît aussi à imaginer l'immense bonheur qui a dû envahir le cher La Grange en apprenant qu'il allait jouer Don Juan ou Clitandre.

Il arrivait aussi que Molière, pressé par le temps, remettait leur texte aux comédiens au fur et à mesure qu'il l'écrivait. Chacun espérait alors de vivre et de se développer jusqu'au cinquième acte.

Les répétitions commencent. Les premières sont presque toujours idylliques. Il existe bien des comédiens malveillants qui cherchent d'un coup d'œil par quel biais ils pourraient semer le trouble, par passe-temps, par nature ou par aigreur. Il y a deux moyens de les neutraliser : l'extrême gentillesse et l'exclusion. Chacun généralement est plein d'ardeur. C'est un plaisir enivrant pour l'auteur et pour le metteur en scène de voir balbutier les personnages. Les plus grands comédiens sont souvent dès le début les plus maladroits. A la recherche de la vérité, ils se refusent à user de stratagèmes et en dépit de leur science, se trouvent comme désarmés. Il en est au contraire qui veulent jouer tout de suite. Ceux-là, en réalité, ne répètent que pour éblouir leurs camarades. Il est rare qu'ils obtiennent un pareil résultat sur le public.

Après une quinzaine de jours la pièce commence à prendre forme ; paradoxalement, c'est à partir de ce moment que personne n'y voit plus rien. C'est la période noire. Elle est fatale. Tout s'était formé. Tout semble se désagréger. Chaque œuvre dramatique, chaque acteur, chaque metteur en scène et surtout chaque auteur est contraint de passer par ce tunnel. Il est plus ou moins long, mais il a une fin. La clarté réapparaît et la première représentation se faisant imminente, la crainte de ne pas être prêts (si l'on écoutait certains acteurs trop scrupuleux ou trop timides on ne jouerait jamais) donne des ailes à tout le monde.

Les derniers jours voient apparaître parents et amis. On veut être rassuré. Un œil neuf devient nécessaire. C'est la période de la foire aux opinions. Chacun donne son avis, quelquefois sincère, quelquefois perfide. Les acteurs voyant venir l'heure de la sentence sont prêts à tout. Certains renient le travail consciencieux fait depuis près d'un mois. D'autres sont disposés à se peindre en bleu de la tête aux pieds, pourvu que le succès leur soit assuré. Il en est heureusement qui gardent leur sang-froid. Sûrs de leur métier, sinon de leur talent, ils vont à l'attaque pleins de trac, mais sans se prostituer ni s'avilir.

De nos jours l'apparition des costumes provoque généralement soit des élans d'enthousiasme, soit des crises de rage, de désespoir ou de jalousie. J'ai vu quelques actrices déchirer leur robe sans bonne humeur. La question ne se posait pas au XVIIIe siècle. Un comédien avait une garde-robe très restreinte et c'est presque toujours avec le même costume qu'il jouait Philinte, Dorante ou Damis. Cette tradition se perpétuera longtemps. On voyait encore au début du XXe siècle nombre de comédiens parmi les plus illustres, qui se faisaient faire au début de leur carrière deux ou trois costumes de répertoire qu'ils conservaient leur vie durant. Cette coutume est encore en usage dans l'art lyrique.

Enfin le jour de la première représentation arrive. La fièvre monte brusquement. Dès le rideau levé, chacun combat pour la pièce d'abord, car de sa longévité dépendra le gagne-pain de tous, pour lui-même ensuite. Dans ce perpétuel concours qu'est la vie du comédien, il s'agit toujours d'être le meilleur. Ce jeu n'est pas interdit lorsqu'il reste loyal. Il est bas et généralement de peu de rapport de changer inopinément son interprétation dans le but de décontenancer son partenaire. Il existe dans ce métier mille astuces plus ou moins savantes qui ont pour but de multiplier ses propres effets, ou d'annihiler ceux des autres, par des jeux de scène ou des intonations inattendues, le résultat n'est pas toujours à la mesure de ces procédés et souvent tel est pris qui croyait prendre.

L'émulation est souhaitable. Pas le croche-pied.

Cependant la représentation se déroule. A chacune de leur sortie de scène les acteurs confrontent leurs impressions. « Ils » (c'est ainsi que l'on désigne le public) « ils » sont bons, « ils » sont atroces, « ils » ne comprennent rien. « Ils » étaient hostiles avant de venir. Les transes de l'auteur sont horribles. Certains ont le courage d'aller dans la salle. Ils sont admirables. D'autres tournent sans arrêt autour du théâtre. Celui-là reste prostré au fond d'une loge et attend comme le vieil Horace les nouvelles, souvent contradictoires, du combat. François de Curel allait aux Folies Bergère et Louis Jouvet enfermait à la clé M. Marcel Achard dans son bureau, afin de l'empêcher de jouer les trublions.

La pièce terminée on ne cherche pas de raison si c'est un succès, on en trouve mille si c'est un échec. C'est dans ce dernier cas que l'on juge des hommes. Le bon directeur perd son argent sans en parler. L'auteur noble ne rejette pas la faute sur les comédiens et ces derniers s'ils sont dignes de ce titre défendent la pièce jusqu'à la dernière représentation, avec le même courage qu'ils ont montré à la première. Ils restent fidèles à ce à quoi ils ont cru.

Chose presque incroyable : au XVIIe siècle, alors que la presse était quasi inexistante, qu'il ne venait dans la salle qu'un seul critique, généralement bienveillant, en tout cas courtois et bien disant, Paris se trouvait renseigné aussi rapidement qu'à l'heure actuelle sur le résultat de l'entreprise. Dès le lendemain de la Première, les spectateurs se ruaient au théâtre ou lui tournaient obstinément le dos. Curieux métier. Etranges mœurs. Captivante atmosphère. Molière s'en languit à Auteuil. Il éprouve le besoin de répéter. Il sait que la retraite lui est profitable et qu'il y aurait même intérêt à la prolonger, qu'en travaillant plus que les autres il a naturellement éveillé l'inquiétude, la jalousie et la haine, n'importe il faut revenir. Il connaît les lois de la mise en scène. Il y en a. C'est un plaisir que de les observer ; il sait faire entrer un personnage, le faire passer à propos, préparer sa sortie, ces règles n'ont pas changé. Le bluff, la facilité en tiennent quelquefois lieu et non sans succès, cela peut déconcerter, mais la vérité reste la vérité. Elle ne connaît point de contrefaçon.

Les coulisses lui manquent. Les comédiens tiennent des conciliabules dans leurs loges, ils vont de l'une à l'autre tous les soirs en s'habillant et en se maquillant. Ils sont généralement gais, enfantins, bavards. Nulle autre profession ne conserve aussi longtemps pareille fraîcheur de caractère.

Molière s'ébroue. Décidément il faut aller répéter. Quoi ? Peu importe. Il se doit de se retrouver parmi les siens. Il rêve avec délices du premier contact. Comme d'habitude il trouvera La Grange toujours en avance d'une demi-heure. Par contre Mlle Molière est en retard. Elle n'est pas la seule. Il faut le lui faire remarquer doucement. Quelquefois se fâcher : « Allons donc, Mesdames et Messieurs, vous moquez-vous avec votre longueur et ne voulez-vous pas tous venir ici ? La peste soit des gens... »

Et puis il y a les jours où l'on n'a pas envie de répéter. On se rend au théâtre par devoir. On commence à travailler. Mais par une subtile coïncidence, l'absence d'enthousiasme se trouve être générale. Dans ce cas le vrai courage consiste à lever la répétition.

Allons, c'est décidé, Molière commande sa chaise et ses porteurs. Bien sûr, il va recommencer à gêner certains. Mais le moyen de faire autrement... la haine ou le mépris ? Dans ce métier comme dans beaucoup d'autres il n'est pas de milieu. S'il n'a pas encore envie d'écrire et il va d'ailleurs le prouver, il sent un curieux besoin de fouler les planches.

Tous, amis et ennemis, le reconnaissent comme

un prodigieux comédien, un comique original et plein d'humanité. Déjà au moment du *Cocu imaginaire*, Neufvillaine, écrivait : « Il ne s'est jamais rien vu d'aussi amusant que les postures de Sganarelle quand il est derrière sa femme ; son visage et ses gestes expriment si bien la jalousie qu'il ne serait pas nécessaire qu'il parlât pour paraître le plus jaloux des hommes.. sa pantomime excitait des éclats de rire intermittents... jamais personne ne sut mieux que lui démonter son visage. »

A propos de *L'École des femmes,* de Visé raconte : « Jamais comédie ne fut si bien représentée ni avec tant d'art ; chaque acteur sait combien il doit faire de pas et toutes les œillades sont comptées... »

Guéret dans sa promenade de Saint-Cloud affirme que... « ses acteurs n'ont pas un défaut dont il ne profite » et Charles Perrault, plus tard, précisera : « Molière a aussi entendu admirablement les habits des acteurs en leur donnant leur véritable caractère et il a encore eu soin de distribuer si bien ses personnages, et de les instruire ensuite si parfaitement, qu'ils semblaient moins des acteurs de comédie que les vraies personnes qu'ils représentaient. »

Chose curieuse, Molière d'abord, soit par timidité soit par respect d'une vieille tradition, jouait sous le masque, le fait est attesté par Donneau de Visé : « Il contrefaisait d'abord les marquis, avec le masque de Mascarille ; il n'osait les jouer autrement ; mais à la fin, il nous a fait voir qu'il avait le visage assez plaisant pour représenter, *sans masque,* un personnage ridicule. »

Laissons de côté l'allusion méchante et n'en retenons que le renseignement historique.

Don Garcie de Navarre mis à part, Molière sera

toujours unanimement loué dans tous ses rôles, pourtant si divers. Car s'il cantonne chaque comédien de sa troupe dans des personnages bien déterminés, lui joue toujours le premier rôle quel qu'en soit l'emploi... Arnolphe, Orgon (ce qui nous amène à penser que Tartuffe n'était point pour lui le personnage principal), Alceste, six Sganarelles différents, Sosie, M. Jourdain, Pourceaugnac...

« Il faisait, dira plus tard La Grange, des études particulières sur tous les grands rôles qu'il se donnait dans les pièces »... Il n'était pas seulement inimitable dans la manière dont il soutenait tous les caractères de ses comédies ; mais il leur donnait encore un agrément tout particulier par la justesse qui accompagnait le jeu des acteurs. Un coup d'œil, un pas, un geste, tout y était observé avec une exactitude qui avait été inconnue jusque-là sur les théâtres de Paris.

Molière professeur, Molière metteur en scène, c'est ce que nous avons déjà vu à l'aube de sa carrière dans *L'Impromptu de Versailles*. Sa façon d'indiquer minutieusement à chaque acteur tous les traits de caractère de son personnage, ses brusqueries... « Ah ! les étranges animaux à conduire que les comédiens », les différences qu'il marque entre eux font éclater à nos yeux ses dons d'animateur.

Il connaît la race des comédiens en général. Ce sont des enfants turbulents, craintifs, versatiles, orgueilleux, tendres et cruels, inquiets et téméraires, exigeants sur le plan de la fidélité mais en donnant peu de preuves aux autres, sans cesse apeurés par l'avenir, sujets à l'erreur par excès d'enthousiasme, jugeant un caractère dès les premières lignes, prêts, tant est grand leur désir de jouer, à dire toujours : le personnage c'est moi, jaloux les uns des autres, et cependant faisant preuve de camaraderie, subitement unis par l'esprit combatif, immodérés dans l'économie comme dans l'imprévoyance, insolents avec ostentation ou humbles jusqu'à la gêne. Il y a chez eux, comme partout, des bons et des moins bons. Les pires sont ceux qui finalement font semblant d'aimer le théâtre. Molière adore ses comédiens, il les juge bien, il ne les confond pas. Il sait rassurer l'un, exciter celui-ci, railler celui-là, flatter cet autre.

Pour toutes ces raisons, et aussi parce que Molière est un homme, Robinet, après quelques semaines, peut écrire dans sa gazette :

J'oubliais une nouveauté
Qui doit charmer notre cité
Molière, reprenant courage
Malgré la bourrasque et l'orage
Sur la scène se fait revoir
Au nom des dieux qu'on l'aille voir.

Il semble que cette méditation, qui vient de lui être imposée, ait complètement transformé Molière. Son combat a d'ailleurs cessé après la représentation du *Misanthrope*.

Si l'on excepte *L'Etourdi* et *Le Dépit amoureux* écrits pendant sa vie errante, l'œuvre de Molière se divise en deux parties par le temps et par la quantité : la première de sept années (1659-1666), qui va des *Précieuses ridicules* au *Misanthrope,* éclate d'agressivité, d'esprit frondeur, d'indignation, de désir de lutte, la seconde de sept ans aussi (1666-1673), nous fait voir, du *Médecin malgré lui* au *Malade imaginaire*, un Molière uniquement préoccupé de son art, du souci de distraire son Prince et son public, un Molière qui semble s'être dépassé. Ces deux périodes égales dans le temps le seront aussi dans la productivité puisque chacune comportera quatorze pièces.

Force est de constater que ce renoncement, car c'en est un, coïncide avec la mort du prince de Conti et la disparition officielle de la Cabale.

Molière en réalité ne poursuivait pas de but précis ; le désir de peindre l'a mené, comme plus tard Goya, sur les sentiers de la guerre. Poussé par le Roi, encouragé par Monsieur et les libertins, grisé par l'atmosphère, piqué par le jeu, empoisonné par l'esprit politique, il s'est trouvé comme engagé dans un combat qui le dépassait, il s'est attaché à sa proie et quand il l'a vue à terre, il est retourné tranquillement à son art. Il était trop tard. Conti n'était qu'une tête de cette nouvelle hydre de Lerne. Parce qu'il a vaincu pour son Roi et qu'il est las de la lutte Molière un peu naïvement croit qu'elle est terminée. C'est mal connaître ses adversaires.

Au mois de février 1667, il avait fait représenter à Saint-Germain pour la Cour et sur l'ordre de Sa Majesté une petite comédie hâtivement écrite, qui devait être la quatorzième entrée du *Ballet des Muses,* lequel n'en comportait que treize.

Le Sicilien ou l'Amour peintre, pièce en forme de mascarade, compte des scènes délicieuses, commence en vers libres, parmi lesquels le célèbre et précieux alexandrin : *Le ciel s'est habillé ce soir en Scaramouche,* se poursuit en prose et se termine de la façon la plus abrupte par l'entrée d'un sénateur hurluberlu. La sérénade, les danses et la musique de Lulli contribuent beaucoup au succès des trois ou quatre représentations données à Saint-Germain. Il faut ajouter que la distribution du ballet final est particulièrement brillante puisque, parmi les danseurs, figurent M. Le Grand, le marquis de Villeroy, Madame, mademoiselle de la Vallière et le Roi lui-même. La pièce est reprise à Paris le 10 juin sur le théâtre du Palais-Royal, l'accueil est plus réservé.

On a souvent posé, à propos de cette pièce, le problème de l'esclavage au théâtre. Certains ont jugé Molière bien hardi de traiter ce sujet. C'est vraiment chercher midi à quatorze heures. L'esclavage n'était pas aboli. Donc il était respecté. Il y avait des esclaves, même en France, et particulièrement dans le Midi. Mais pour notre auteur tout cela n'est que bouffonnerie. Le personnage avait déjà servi dans *L'Etourdi,* on allait le revoir dans *Les Fourberies de Scapin.* Cette année 1667 est la plus sinistre et la plus pauvre de la vie de notre auteur. Une seule petite comédie en un acte et rien de plus. Faute de pouvoir digérer l'injustice du *Tartuffe,* il ne songe qu'à bien écrire. Le thème va passer momentanément au second plan pour céder le pas à la forme. Ce passionné va y découvrir au milieu de son amertume un plaisir singulier.

Pour bien montrer aux yeux de la Cour et du public le grand changement qui vient de s'opérer en lui, Molière relit Plaute, revient à ses idées premières : l'imitation des Anciens et puise le sujet de sa nouvelle pièce dans la Mythologie. Comme pour déconcerter davantage et montrer la docilité de sa plume, il l'écrit en vers irréguliers, attirant par là l'attention sur la forme. Le comique en devient moins direct mais il augmente en subtilité et en saveur.

La pièce fait ressortir le caractère bien français de

Sosie : fanfaron, malin et impertinent. Les maîtres n'y sont point ménagés :

> *Parlerai-je, Monsieur selon la vérité*
> *Ou comme auprès des grands on le voit usité !*

Si Sosie était moins couard, il annoncerait déjà Figaro. Il rappelle furieusement le « Moron » de *La Princesse d'Elide.*

ARTAXERXE

TRAGEDIE

REPRESENTEE PAR

L'ILLVSTRE THEATRE.

A PARIS,

Chez CARDIN BESONGNE, au Palais au haut de la montée de la saincte Chapelle, aux Rozes vermeilles.

M. DC. XLV.

AVEC PRIVILEGE DV ROY.

Titre de l'édition originale d'Artaxerxe (1645)
Un des rares documents ayant trait à l'Illustre Théâtre.

Coll. Fart.

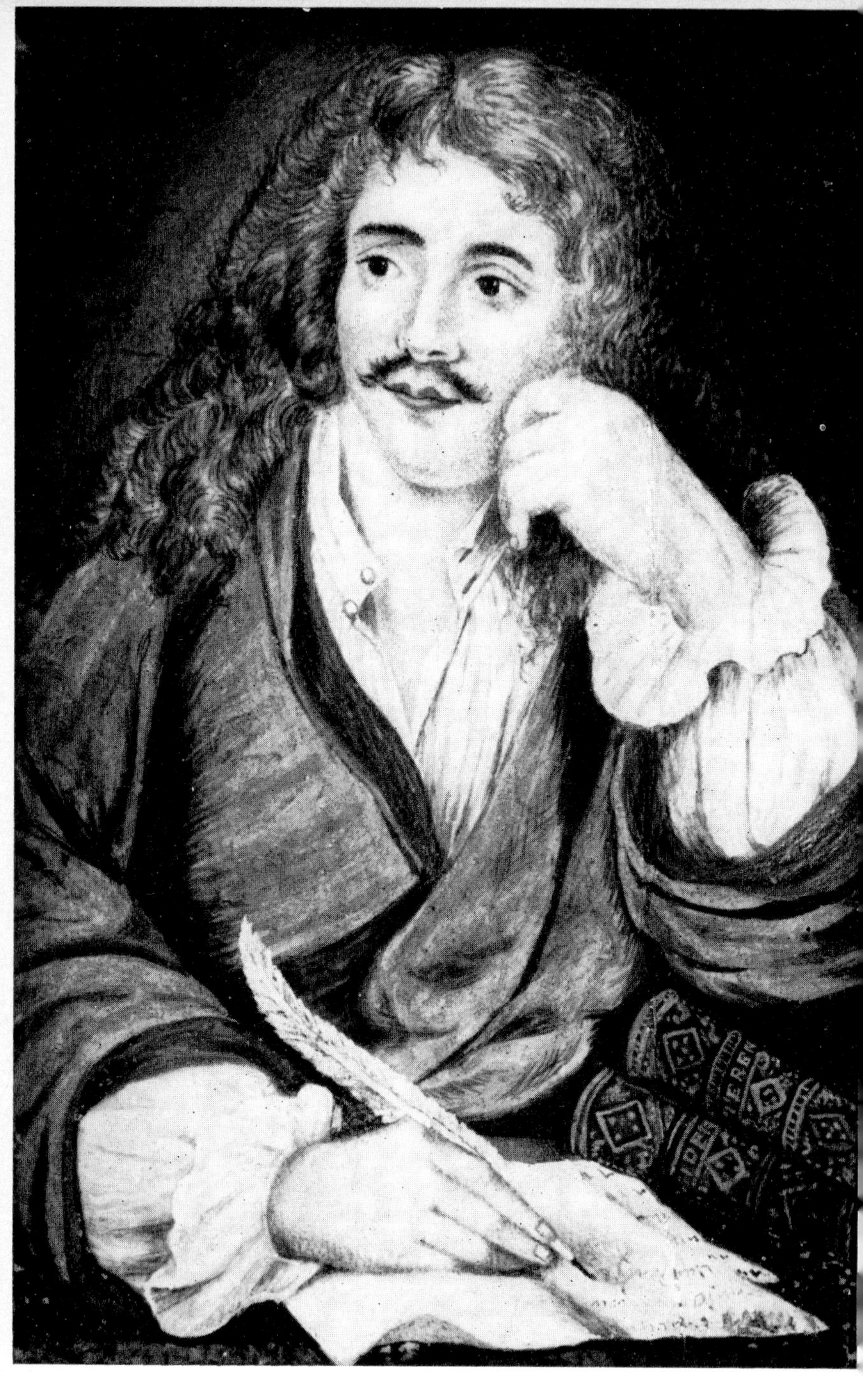

Portrait peint par Drujon quelques jours avant la mort de Molière en 1673. Donné à Boileau par Molière, il se trouvait dans le cabinet de Monsieur Miller à l'Assemblée Nationale en 1871. Perdu pendant la Commune, il a été retrouvé récemment par Jean Meyer. Il a servi de modèle à Charles Coypel pour le tableau qui se trouve maintenant à la Comédie-Française.

Coll. Part.

Molière
Dans le rôle de César de « La Mort de Pompée ».
Peint par Mignard.

Musée de la Comédie-Française
Photo Giraudon

Seco
Theatre fait dans la mesme
de la Princesse d

Gravure
C'est au cours de ces fêtes de 1664 qu

ournée
quel la Comedye, et le Ballet
representez

estre.
.t représenté pour la première fois.

Coll. Part.

L'AVARE

L'ESCOLE
DES
MARIS

Sur les pages précédentes :
Molière dans le rôle d'Harpagon dans « l'Avare ».

Giraudon

Molière dans le rôle de Sganarelle dans « l'Ecole des Maris ».

Roger Viollet

Ci-dessous :
Coupon d'entrée pour une des premières représentations de l'« Etourdi » à Lyon en 1655

Coll. Iart.

LES PLAISIRS DE LA FORME

IX

LES PLAISIRS DE LA FORME

On a longtemps débattu, afin de savoir si l'auteur avait trouvé avec *Amphitryon* un nouveau moyen de faire sa cour, en justifiant les amours du Roi et d'Athénaïs de Mortemart. Les dates ne concordent guère. La révolte de M. de Montespan se situe en septembre 1668, alors que la comédie est jouée pour la première fois le 13 janvier de la même année. Mais Molière était peut-être dans le secret des dieux. La liaison était publique depuis le mois d'août 1667. De toutes façons l'allusion n'était possible qu'avec l'accord tacite de Louis XIV. « Votre Majesté qui voit comme Dieu... » avait-il écrit dans son premier placet. Maintenant il le hisse au faîte de l'Olympe pour mieux adoucir les blessures du mari :

Un partage avec Jupiter
N'a rien du tout qui déshonore

Cela reste encore à prouver. Et quand cela serait, rien ne dit qu'il fasse pour autant plaisir.

La comédie est osée, sensuelle, légère, aux limites de la grivoiserie. C'est du « Boulevard » sublime. Les plaisanteries scabreuses abondent, la forme les rend toujours élégantes. La suprême délicatesse consiste à faire disparaître le rôle d'Alcmène, après le deuxième acte. Il y a là du génie et de la noblesse. L'auteur n'a pas supporté la confusion qui aurait envahi son héroïne, ni la rougeur qui serait montée au visage de cette amoureuse, si profondément honnête et si voluptueusement raffinée.

Molière après le succès d'*Amphitryon,* donné d'abord au Palais-Royal, puis aux Tuileries, pour le Roi, fait jouer après le relâche de la Pentecôte une pièce de Subligny, intitulée *La Folle Querelle,* ou *La Critique d'Andromaque.* Le titre est éloquent. La pièce de Racine avait été aux nues au mois de novembre précédent. Ainsi les auteurs se critiquaient en famille : *Critique de l'école des femmes, Contre-critique de l'école des femmes, Critique du Tartuffe*, etc. L'objectivité faisait défaut, mais au moins on parlait entre connaisseurs. La critique officielle n'existait pas. Loret ou Robinet en restaient aux comptes rendus. Le seul censeur éminent était Boileau. Mais si ses *Satires* et son *Art Poétique* nous le font apparaître comme un juge, l'histoire nous apprend qu'il était d'abord un conseiller, et un bon conseiller. Racine et Molière l'écoutaient. C'est lui qui a fait supprimer dans *Britannicus* la fameuse scène entre Burrhus et Narcisse (le bien s'opposant au mal) qui semblait primitivement être pour l'auteur un des pivots de la pièce. Boileau ne cédait pas à ses impressions, à ses sensations, à son état d'un soir. Il était compétent. Il construisait. Il ramenait sur le droit chemin. Il rappelait les règles d'Aristote (il fallait les connaître), celles de la syntaxe et les lois de la prosodie. Ses critères ne changeaient jamais. L'auteur, le comédien et le public ne se trouvaient pas déroutés. L'Art dramatique a fait des progrès en prenant le chemin de la rigueur. Le public aussi. Mais il faut que cette rigueur soit constante. Lorsque le jeu commence c'est une grande jouissance pour tous de contrôler la stricte observance des règles. De nos jours ou bien on les ignore, ou bien on refuse de s'y plier. Il y a plus grave : on en arrive à les modifier en cours d'exécution et tel auteur qui déplace subitement une pièce de son échiquier s'aperçoit qu'on le croit engagé dans une partie de trou-madame.

Le 18 juillet dans le parc de Versailles, et devant le Roi venu spécialement de Saint-Germain, Molière donne son *George Dandin*. Ses trois actes très ramassés sont séparés par des intermèdes interminables. Il semble que ce soit pour obvier à cet inconvénient que Molière ait choisi son sujet dans Boccace, sujet qui répète trois fois la même situation avec des perspectives différentes. Il est certain que lorsque le deuxième acte commençait le premier était déjà loin. Les spectateurs distraits par un océan de musique et de danse ne se souvenaient plus de l'intrigue. Grâce à l'ingéniosité de Molière, ils retrouvaient tout de suite le fil de l'action.

Certains traits comiques de la pièce nous échappent. Entre autres celui par lequel M. de Sottenville s'enorgueillit de ce que ses aïeux n'aient pris part qu'à des défaites. Molière raille la petite noblesse, cela ne devait pas déplaire à la grande. Il avait déjà moqué la fausse dans *L'École des femmes,* il y reviendra. C'est peut-être pour cette raison qu'il va bientôt supprimer la particule qu'il s'est donnée et qu'il signera dorénavant : J.B.P. Molière et non plus : J.B.P. de Molière.

Détail étrange, il a toujours fait suivre sa signature d'un petit trait en diagonale, placé entre deux points. Nous en avons cherché en vain, jusqu'à présent, la signification.

Le personnage d'Angélique, qui justifie cyniquement son amoralité par le fait qu'elle a été livrée à George Dandin par ses parents, est d'une cruauté impitoyable. La dernière scène, au cours de laquelle elle voit froidement son mari, à genoux, lui demander pardon de la faute qu'elle a elle-même commise, est extrêmement pénible. Pas un mot de miséricorde ou d'espoir ne s'échappe de ses lèvres. C'est l'image même de la sensualité égoïste, autoritaire et versatile. La morale de l'histoire est spécieuse, surtout pour l'époque : il faut se garder de se marier au-dessus de sa condition... Une femme-demoiselle est une étrange affaire. Certes les Sottenville étaient des sots, mais par-delà ces ridicules, la noblesse se trouvait visée.

Débarrassé un peu plus tard de ses lourds ornements, *George Dandin* deviendra de ce fait une des pièces les plus sèches de Molière et peut-être la plus cruelle.

Déjà au mois de février, il avait fait subir au *Mariage forcé*, créé quatre ans plus tôt avec des « agréments », la même et salutaire opération. La petite comédie était repartie avec une vie nouvelle. On y lisait bien mieux l'inspiration rabelaisienne, puisque la pièce est, comme chacun sait, une version du mariage de Panurge.

Au mois d'août, Molière apprend que son père est

dans la gêne. La conversation ne s'est jamais établie ou rétablie entre les deux hommes. Le fils use alors d'un stratagème délicat, il demande à son ami Jacques Rohault, le célèbre physicien, de prêter à Jean Poquelin la somme importante de 8 000 livres, somme qui constitue une rente annuelle et perpétuelle de 400 livres. Rohault reconnaît par un second acte qu'il n'a fait que prêter son nom et que la somme est due en réalité à Jean-Baptiste Poquelin.

Le 24 novembre de cette même année 1668, le même processus se reproduira. 2 000 livres seront à nouveau allouées au père Poquelin, produisant une rente supplémentaire de 100 livres, et Rohault reconnaîtra encore que cette générosité n'est due qu'à Molière. Ceci exclut toute littérature sur les relations du père et de son fils.

Cependant l'auteur qui a déjà donné dans l'année *Amphitryon* et *George Dandin* s'est remis au travail. Fidèle à sa nouvelle manière, il emprunte à Plaute, après *Amphitryon,* un autre sujet. Il grappille aussi un peu partout : chez l'Arioste, chez Larivey. Le sous-titre de *L'Avare* pourrait en effet être : « Les quiproquos ». Molière use et abuse ici du procédé. Il y en a un au premier acte, un léger au second, un autre au quatrième et au cinquième un dernier très scabreux. Celui-là déchaîne le rire et certains esprits sévères ne l'ont pas toujours trouvé de bon goût.

La pièce a des audaces sur lesquelles on a trop tendance à passer. Elise et Valère se sont donné l'un à l'autre une promesse de mariage, cela équivalait à l'époque au mariage lui-même. Cette première scène est d'ailleurs une admirable exposition jaillie du regret et du désarroi où l'amour a jeté une âme honnête. Toutes les solutions sont envisagées, puis écartées. Seule la fuite les mettra à couvert de tout. Le personnage d'Harpagon commence à projeter son ombre terrifiante, il se précisera dans la scène suivante pour surgir avec la plus extrême violence, au début de la troisième. Les interprétations les plus diverses arrivent toujours à tirer des effets de cet excellent rôle. Pour notre part. nous pensons qu'il faut bannir toute raison de ce caractère. Sa ruse, sa malice, sa duplicité, sa fourberie, ses colères, ses fuites ne sont que des moyens. Seule sa passion fait sa grandeur. C'est elle qui lui épargne l'antipathie du public et c'est de l'atroce poussé à l'extrême que jaillit le comique.

On trouve au quatrième acte de *L'Avare,* juste avant le fameux monologue, une indication de mise en scène. On sait qu'elles sont rarissimes chez Molière, comme d'ailleurs chez les auteurs classiques. C'était là, disait Louis Jouvet, la marque de leur grandeur. Point d'accessoires, point de jeux de scène, quelquefois une lettre, une bourse, un sac, un bâton, rien de plus. Le texte, nu, dit, déclamé presque dans l'immobilité (les acteurs bougeaient peu à l'époque faute de place), se suffit à lui-même. Tout objet nécessaire à l'action marque une faiblesse du créateur. Le verbe pour être grand se doit d'être solitaire. Cette loi est encore plus rigoureuse dans la tragédie. Elle conditionne la forme. L'agrandissement de l'espace scénique a amené ces galopades à effets, ces grands mouvements de péplums, ces agitations déplacées, qui vont à l'encontre de la rigueur cornélienne ou racinienne. Les tragiques, non seulement vouaient leurs personnages à l'immobilité, mais ils les élevaient dans un rang qui leur interdisait toute expression abandonnée ou vulgaire du sentiment. La passion les brûlait, leur intelligence et leur âme chrétienne étaient là pour la combattre mais leur dignité de roi, de reine, de prince ou de princesse, leur ôtait tout droit à l'émotion, à la surprise ou à la précipitation. Le public devant une représentation telle qu'elle devrait se dérouler dans la dignité et la pudeur éprouverait alors la sensation à la fois voluptueuse et gênante de l'indiscrétion. Toute cette théorie est très précisément définie par Corneille lorsqu'il met dans la bouche de Pauline ce distique fameux :

Et quoique le dehors soit sans émotion
Le dedans n'est que trouble et que sédition.

Le romantisme a chassé tout cela et le goût du jour pour le pittoresque, l'originalité à tout prix et la mise en scène qui se voit, a multiplié l'accessoire, au lieu de le réduire.

L'indication donnée par Molière à la fin du quatrième acte de *L'Avare* se borne à ceci : « Harpagon revient sans chapeau. »

Cette phrase apparemment banale revêt aux yeux de l'auteur une importance capitale. Le chef de famille, le maître du logis, était toujours couvert, même chez lui. Son chapeau ne le quittait pas. Il était le signe de sa puissance et de son autorité. « Mettez », dit Dorante à M. Jourdain. Les gravures de Brissart pour l'édition de 1682 nous montrent que tous les principaux héros de Molière ont droit au couvre-chef et Harpagon particulièrement. La perte du chapeau indique alors le point extrême de la passion, le désordre, l'affolement, la perte de la dignité et le degré d'avilissement où se ravale celui auquel plusieurs fois et sans ironie on donne le titre de « seigneur ».

Ce renseignement est précieux. Il se révèle indispensable à l'auteur qui, et ce sera la seule fois dans son œuvre, nous présente un personnage au bord de la folie dangereuse.

C'est le 9 septembre 1668 que la pièce est représentée pour la première fois sur le théâtre du Palais-Royal. Elle plaît, elle plaira toujours et restera des plus populaires. De très grands acteurs comme Leloir ou de Féraudy s'y sont illustrés. Lors de la création l'on fait grief à l'auteur d'une innovation qui paraît quelque peu méprisable. On connaît la phrase célèbre d'un spectateur précieux : « Molière est-il fou de nous faire essuyer cinq actes en prose ? » Ç'avait été le cas de Don Juan, mais les ennemis de notre homme s'étaient alors si enflammés par le sujet que la forme était passée presque inaperçue.

Racine veut faire voir alors qu'après le triomphe d'*Andromaque,* il est capable de passer du tragique au comique et le 20 novembre, pour faire pièce à son premier protecteur, il donne *Les Plaideurs*.

A quelqu'un qui croyant lui faire plaisir vient lui dire du mal de la pièce, Molière répond par un étonnement hautain. Il montre ainsi qu'il sait s'élever au-dessus des rancœurs professionnelles, et que l'attitude odieuse de Racine à son égard n'a en rien diminué l'admiration qu'il lui porte.

Le 11 décembre Mlle du Parc meurt subitement. Empoisonnée, dira la rumeur publique. Mort mystérieuse, certes, mais sur laquelle rien n'a jamais été prouvé. Le 13, Racine à demi trépassé suit le convoi funèbre.

L'année 1669 va commencer par ce qu'on pourrait appeler la réhabilitation de *Tartuffe*. La pièce est enfin autorisée à paraître en public et régulièrement. Comment ? A la suite de quelles démarches ? Molière n'a pas intérêt à le faire savoir. Le Roi non plus. Le triomphe doit être discret, la guerre n'avait été que trop éclatante.

Molière est satisfait mais pas heureux. C'est trop tard. Le cœur n'y est plus. Dans un troisième placet au Roi, il le remercie brièvement et en termes fort plats. Prenant prétexte d'une requête en faveur d'un médecin, il semble que ce soit tout à fait par hasard qu'il remercie Louis XIV d'avoir par ses bontés ressuscité *Tartuffe*. Il se dit par cette faveur réconcilié avec les dévots ; ce qui surprend et presque scandalise.

Une fois encore, devant ses persécuteurs, il agite un drapeau blanc. Il est las, il veut la paix, et la veut maintenant à tout prix.

Le public se rue vers le théâtre du Palais-Royal, ce qui fait écrire à l'un de ses ennemis dans *La Critique du Tartuffe* :

> *Je sais que le Tartuffe a passé son espoir*
> *Que tout Paris en foule a couru pour le voir.*

Au moment où Bossuet prêche le carême les spectateurs s'écrasent à la porte du théâtre.

Cet engouement, les recettes fabuleuses qui en découlent, tout cela laisse Molière indifférent.

De même les épigrammes qu'on lui lance :

> *Un si fameux succès ne lui fut jamais dû*
> *Et s'il a réussi, c'est qu'on l'a défendu.*

Il est certain que les cinq années d'attente avaient aiguisé la curiosité du public. Cette attente ne fut pas déçue. Mêmes faits se reproduisent cent quinze ans plus tard pour *Le Mariage de Figaro* dont Beaumarchais fera pendant dix ans des lectures privées.

Le triomphe du *Tartuffe* s'accompagne d'un concert d'imprécations contre les dévots. On les assomme, on les raille, on les achève : *En doive crever tout cagot* dit Robinet d'habitude si prudent.

Et il ajoute :

> *Monsieur Tartuffe ou le pauvre homme*
> *(Ce qui les faux dévots assomme)...*

Tout ceci ne fait point de bien à Molière.

Il triomphe, mais le danger grandit. Il fallait que toute résistance fut ouvertement vaincue pour que la Reine, la très pieuse Marie-Thérèse, fasse jouer la pièce dans ses appartements et toujours au dire de Robinet... « rit bien de voir l'hypocrite ajusté comme il le mérite ».

Le drame de *Tartuffe* est ainsi achevé. Le triomphe eût été plus grand si l'on avait joué en 1669 la pièce qu'avait vue la Cour en 1664. Mais Molière a dû encore « adoucir » la deuxième version de sa comédie.

Les changements sont peu nombreux et infiniment moins graves dans leur esprit que ceux qui étaient intervenus après la représentation de 1664.

Nous ignorons quelle était la première version, nous pouvons par déduction affirmer, et c'était l'opinion de Coquelin, que Tartuffe portait soutane. Par la « lettre sur la comédie de *l'Imposteur* » parue en 1667, nous connaissons la structure de la deuxième version. Il est facile alors de faire le bilan de ce que Molière a retranché.

Chose curieuse la pièce qui fait recette au théâtre ne se vend pas en librairie.

A la fin de ce mois de février, Molière perd son père âgé de soixante-treize ans.

Décrire ses sentiments mènerait à la spéculation. Il a toujours vécu loin de Jean Poquelin. Mais il devait s'inquiéter de lui : témoin l'épisode de Rohault. Et puis c'était son père.

Molière se remet au travail. Le Roi a un nouveau caprice : il décide d'aller chasser à Chambord. Il quitte Saint-Germain le 16 septembre et va coucher à Arpajon. Comme il ne peut se passer de divertissement, ses comédiens prennent avec un jour de retard la même route et arrivent à Chambord le 20. Trois jours pour faire quarante lieues. Molière passe par Orléans, il jette un coup d'œil sur son passé. Il s'y revoit faisant son droit. Il franchit la Loire, non point comme il y a vingt-quatre ans pour fuir Paris, mais pour servir un Roi tout-puissant dont il est encore le comédien et l'auteur favori.

Est-ce la perspective de ce voyage en province qui a inspiré Molière ? Il va railler cruellement un Limousin qui débarque à Paris. Le martyre de M. de Pourceaugnac dans la capitale, s'il provoque le rire des Parisiens, a quelque chose de grinçant avec son défilé de seringues, ses médecins à demi fous, son apothicaire bègue, ses Suisses entreprenants, ses matrones abusives, sa ribambelle d'enfants et au-dessus de tout cela l'ombre suspecte de Sbrigani qui tire les fils.

Ce Napolitain qui se vante d'avoir gardé à Paris

« la sincérité » de son pays c'est un peu le portrait de Lulli le fourbe, qui, depuis *Les Fâcheux* jusqu'à *Psyché*, servira Molière de toute la force de son talent — l'on peut même dire de son génie — et le trahira subitement ensuite pour de misérables questions d'intérêts.

Senecé a tracé de lui cet excellent portrait : « Un petit homme d'assez mauvaise mine et d'un extérieur fort négligé. De petits yeux bordés de rcuge, qu'on voit à peine et qui ont peine à voir, brillent en lui d'un feu sombre, qui masque tout ensemble beaucoup d'esprit et beaucoup de malignité. Un caractère de plaisanterie est répandu sur son visage ; enfin, sa figure entière respire la bizarrerie. »

O ironie, cet homme aux mœurs particulières termine sur la route de Chambord son fameux air de la polygamie.

Chambord, c'est la chasse. Le château a été construit pour elle. Ses toits si particuliers, formés d'une infinité de petites terrasses, permettent aux dames de guetter aux quatre points cardinaux le retour des chasseurs. Ceux-ci se signalent de très loin. Ils reviennent. Les comédiens doivent être prêts.

A peine débotté, adossé au fameux escalier à double révolution, entouré d'une petite cour (la salle n'est pas grande), le Roi assiste le 7 octobre à la première représentation de *Monsieur de Pourceaugnac.* La pièce sera jouée cinq ou six fois au cours de ce séjour à Chambord. Ce qui est la marque d'un grand succès. Molière y est aussi fêté comme acteur. Robinet écrira à propos de son Limousin : « Le sieur Molière tourne sa personne selon les sujets comme il veut et joue autant bien qu'il se peut. »

Le succès de *Monsieur de Pourceaugnac* lance notre auteur sur le chemin sans grand danger de la comédie-ballet. Pendant que l'on répète *Les Amants magnifiques* qui vont être joués à Saint-Germain en février 1670, Marie Hervé, veuve de Joseph Béjart, mère de Madeleine et prétendue mère d'Armande meurt.

La nouvelle comédie paraît sous le titre de « divertissement royal ». C'est un spectacle prodigieux. *Amphitryon* a ouvert l'ère de la décoration et des machineries. La Cour et le public populaire en deviennent friands, on va leur en donner. Molière écrira les comédies, Lulli la musique, et c'est ici le moment de rendre hommage à un homme de génie, un metteur en scène prodigieusement habile et inventif dans l'art de l'illusion décorative : Vigarani. C'est lui le chef d'entreprise. C'est lui qui construit le théâtre, la scène et les décors. Nous avons dit que l'on avait généralement recours à des décors passe-partout. Mais le nouveau genre qui se crée, celui du spectacle total : « Comédie, ballet, opéra, concert », va transformer l'artisanat de la scène française qui vit encore sur les principes de Palladio pour l'architecture, de Sabattini pour la construction de la scène et de ses services (dessous et cintres) et de Vigarani pour l'imagination. Car tout est possible sur un plateau théâtral et avec des moyens relativement simples. Encore faut-il les connaître. Hélas ! de nos jours la simplicité est hors de prix.

L'avant-propos de Molière est une sorte de déclaration des nouveaux principes. Il pose la première pierre. Il définit le genre :

« Le Roi qui ne veut que des choses extraordinaires dans tout ce qu'il entreprend, s'est proposé de donner à sa Cour un divertissement qui fut composé de tous ceux que le théâtre peut fournir ; et, pour embrasser cette vaste idée et enchaîner ensemble tant de choses diverses... »

Cela sent l'essai, mais le style nouveau se fait jour.

Ce travail intense, s'il distrait notre auteur, ne supprime pas pour autant les problèmes de sa vie conjugale. Le couple habite rue Saint-Honoré. Peut-on d'ailleurs encore parler d'un couple ? La déception de Molière sur le plan de l'amour, de la tendresse et même de l'amitié s'augmente d'une sorte d'insatisfaction professionnelle assez difficile à définir. Il a quarante-huit ans. Il est homme de théâtre. Il est depuis toujours à la recherche du couple, non point comme peut l'entendre un esprit vulgaire, mais dans l'union constante de son amour, de sa vie, de son art et de son métier. Ce problème ne lui est pas particulier. D'autres, dans l'histoire du théâtre, sont partis à la conquête de cet idéal : la femme rivée à soi, par les sens, par l'esprit, et par le jeu du théâtre. L'homme sent que s'il la rencontre, des mondes extraordinaires leur seront révélés. Il lui offrira tout ce qu'il sait et (car tout cela suppose du talent) elle le recevra, simplement, mais son savoir s'en trouvera magnifié, multiplié, développé à l'infini par son désir de donner.

Et puis, l'âge arrivant, ce peu que l'on a appris et qui est si subtil, si impalpable, on a envie de le transmettre. On peut dire qu'à ce moment l'amour du métier dépasse l'amour tout court. Au fond Molière cherche un élève, un disciple. Il en a besoin même pour se développer. Il est bien connu que, dans ce métier, la difficulté d'expliquer des situations et des sentiments, qui apparaissent nettement, les font découvrir sous une autre clarté par celui-là même qui les définit. L'esprit s'élance alors. Le métier d'acteur retrouve ses limites quasi invisibles. Une heure arrive où l'homme a besoin d'une oreille pour progresser lui-même.

On n'a pas oublié que Baron, après la gifle d'Armande, avait, il y a quatre ans, quitté le Palais-Royal. Après avoir rejoint la Raisin et en dépit des démarches de son protecteur il s'était toujours gardé de revenir à Paris. Molière ne s'est jamais consolé de ce départ. Il ne perd pas la trace de son protégé, et ceci montre une constance inouïe.

Quand il juge le moment venu il obtient du Roi une lettre de cachet qui commande à Baron de réintégrer la troupe du Palais-Royal. C'est un ordre. Baron obéit, mais tout laisse à penser qu'il est d'accord. Il n'a pas oublié les fastes de la Cour entrevus à Saint-Germain, il a goûté de la misère, il rêve de Paris, il est ambitieux et s'il fait à bonne fortune mauvais cœur, c'est par caprice et par orgueil.

Molière est heureux. Sa joie est étrange. Elle tient de la sollicitude du père et de l'impatience de l'enfant. Il court à la porte Saint-Victor, par où Baron doit pénétrer dans Paris. Le jeune homme passe devant lui. L'air de la campagne, la fatigue du voyage et surtout quatre ans de plus ont à ce point modifié ses traits que Molière ne le reconnaît pas et revient chez lui triste et désemparé... Il y trouve son protégé. Il le choie, il lui donne de l'argent, il l'habille et, sans perdre de temps, il « s'applique à le former dans la profession ».

Il tient son élève. La tâche est double : il faut l'instruire et l'éduquer. L'instruction c'est-à-dire la technique se subdivise en sept points essentiels, à savoir : la diction, le ton, le diapason, le mouvement, le personnage, la situation et le style.

La diction commence à l'articulation, cette loi élémentaire tend à être de moins en moins observée et il n'est pas rare qu'un comédien donne au public l'impression de ne plus entendre sa propre langue. De cette exigence simple, l'on passe aux règles les plus compliquées. M. Georges Le Roy les a admirablement définies dans deux ouvrages éminents. Si le débutant prend connaissance puis conscience de ces règles, il lui reste à les observer non seulement dans l'exercice de son métier, mais à chaque minute de sa vie.

Entraînement pénible, ingrat et fastidieux. Mais les plus grands pianistes ne recommencent-ils pas chaque matin, pendant plusieurs heures, des exercices qui vont des gammes sur lesquelles butent les enfants de six ans aux plus grands plaisirs de la virtuosité ? Lucien Guitry faisait tous les jours une heure d'articulation, il ne s'en est jamais trouvé diminué. Sous prétexte que le microphone arrangera tout, on ne distingue plus maintenant une voyelle d'une consonne. On perçoit le début des mots, presque jamais la fin, donc pas le sens. Il en est de même pour la phrase. La langue française impose que le sens d'une réplique se prépare sur la pénultième syllabe afin de se préciser sur la dernière.

Le ton est chose plus subtile à définir, plus difficile à acquérir, même au prix d'un gros travail. Il faut sentir et trouver dans les résonances de sa voix une correspondance avec la chaleur de l'écriture.

Le diapason, c'est l'entraînement de l'oreille à l'exigence du texte par rapport à un public chaque soir différent, par rapport à ses partenaires aussi. Il faut savoir écouter avant d'entrer en scène et selon les circonstances se mettre à l'unisson, redonner de la couleur ou au contraire l'atténuer.

Le personnage, cela va de soi, il faut entrer dedans. Il ne faut pas l'aborder trop vite, ni trop timidement. Il faut l'examiner, en faire le tour, et un beau jour, le prendre, par les jambes, par le cœur, ou par les yeux, mais le prendre. Louis Jouvet disait : le personnage est un cercle, il faut avoir les deux pieds dedans. Il arrive qu'on n'y puisse en mettre qu'un, et aussi qu'on en soit à des kilomètres. Les plus grands n'en sont pas exempts.

Le mouvement, c'est la régularité de la vague, c'est la syncope, c'est la pulsation de la pièce, c'est la fièvre toujours. C'est une impression physique de l'art. Quand le comédien s'est plié à ces cinq premières exigences, il s'agit maintenant de jouer la situation.

Et d'abord qu'entend-on par situation dramatique ? C'est le mouvement de va-et-vient qui oppose un personnage à un ou plusieurs autres. Chacun d'eux poursuit un but (ce but n'est pas toujours visible à première vue), chacun d'eux doit perpétuellement dire non à l'autre, l'accord rompt l'intérêt. La « situation », qu'elle soit simple ou complexe, c'est ce qui permet au public d'entendre ce que l'acteur veut lui dire. C'est grâce à elle qu'il retient l'attention. Sans elle point de jeu. Rien que des idées, or au théâtre il n'y a pas d'idées. Il ne doit pas y en avoir.

Les comédiens sentent (quelquefois obscurément) que cette situation leur est indispensable. Ils disent, « il n'y a pas de situation ». Il faut jouer la situation.

La célèbre première scène du *Misanthrope,* qui

ne comprend pas moins de trois cents vers entre Alceste et Philinte, fournit un exemple simple de situation dramatique.

Comment la définir ? L'on parle généralement de la colère et de l'indignation d'Alceste, de la philosophie de Philinte. Ce ne sont là que des sentiments. Les caractères s'opposent certes mais cette dualité ne crée pas la situation. Il y a eu l'incident de la rencontre du Monsieur que Philinte a salué avec effusion sans pouvoir dire son nom. Cela a provoqué la situation, mais ce n'est pas encore la situation. Cela va paraître bien naïf, mais la situation dramatique, par laquelle débute Le *Misanthrope,* consiste tout simplement en ceci : Un personnage veut faire parler un autre personnage qui ne cessera pas de parler tout en refusant de parler.

Raisonnons par l'absurde, et supposons qu'à la question de Philinte: «Qu'est-ce donc, qu'avez-vous ?» Alceste au lieu de fulminer son « Laissez-moi, je vous prie » ; réponde : « Ce que j'ai ? Je vais vous le dire... » Ce qu'il dirait alors n'intéresserait plus personne. Le personnage principal, qui est déjà systématique du fait de son caractère, deviendrait celui d'une pièce à thèse. Ce qui est admirable, c'est la négation perpétuelle d'Alceste. C'est elle qui nous retient. Nous entendons ce qu'il dit, mais nous vivons de cette négation. Notre esprit reçoit les mots, savoure les pensées, s'intéresse aux personnages, mais notre cœur ne bat et nos sens ne vibrent que pour la situation.

Nous avons pris un exemple simple. Il en est d'infiniment plus subtils, la situation qui oppose Henriette à Armande au Ier acte des *Femmes savantes,* par exemple.

Là encore sous d'apparentes théories se cache un but bien défini.

Que veut Armande ? Faire prononcer à sa sœur le nom de Clitandre. Faute de pouvoir y parvenir, elle sera réduite devant l'incompréhension calculée d'Henriette à le prononcer elle-même. A partir de ce moment, la situation évolue avec netteté. Jusque-là elle reste mystérieuse. Et si les comédiennes chargées de ces rôles ne la jouent pas, elles ne jouent rien, elles pensent. Et si elles pensent, elles faussent la pièce. Les caractères, les théories ne s'exposent qu'à propos de la situation et par elle.

Reste le style, ce dernier point s'apprend peut-être avec plus de plaisir que les autres et c'est lui qui va nous faire glisser de l'instruction du comédien vers son éducation. Le style, c'est le respect profond de l'auteur. Molière, qui sent quel merveilleux tragédien peut devenir Baron, lui enseigne alors dans la diction des vers à maintenir de façon extrêmement rigoureuse l'équilibre entre l'effet physique qu'ils doivent produire sur le public et leur valeur expressive. Si l'équilibre se rompt, la musicalité racinienne, ou disparaît devant un texte trop joué, trop vécu ou trop explicatif, ou bien elle engourdit le spectateur et finit par le priver de sa faculté de compréhension.

Et l'éducation commence. En quoi consiste-t-elle ? En conversations surtout, conversations qui ne doivent pas être prévues, mais naître du hasard, de l'improvisation. En conseils sur les lectures, les fréquentations, l'orientation générale de la vie. Il s'agit de lâcher la bride ou de la serrer au bon moment. L'humiliation est quelquefois nécessaire, le compliment doit être dosé. Il faut développer chez l'élève le sens de l'observation objective. Il est nécessaire de bien regarder les êtres si l'on veut les peindre. L'œil s'entraîne comme l'oreille. Enfin, il doit s'établir entre le maître et son disciple une affection confiante. Mais il en est généralement du professorat comme de la paternité, le professeur s'attache davantage parce qu'il donne, l'enfant ne pense qu'à tendre les mains pour recevoir et mieux s'armer, il a la vie et le théâtre à dévorer. Plus tard il se souviendra... peut-être.

Mais en ce printemps de 1670, Molière a l'esprit léger. Lui qui a réussi dans tous les métiers du théâtre aborde maintenant le professorat. Il le fait avec passion, car il sent qu'il va y apprendre encore quelque chose sur son art.

Baron débutera à la fin de l'année dans le rôle de Domitian de la nouvelle pièce de Corneille *Tite et Bérénice*. Racine fera jouer sa *Bérénice* sept jours plus tôt.

Molière a dû apprendre à sa femme ce prochain retour. C'est un peu une défaite pour elle, Molière n'en a cure. C'est l'époque de la guerre froide. Ce n'est pas contre elle qu'il agit, mais il semble indifférent à ses réactions. Il a tort. Elle réagit, elle accueille Baron d'un sourire charmant et point du tout contraint. C'est une forme de son caractère que saura plus tard exploiter Guérin, son second mari, cette fille dure et hautaine plie sans arrière-pensée devant la force. Sans arrière-pensée !... C'est pour le moment beaucoup dire. Mais Molière tout à sa joie est trop aveuglé pour y prendre garde. L'attitude conciliante de sa femme lui fait éprouver pour elle comme une sorte de passion nouvelle. C'est dans l'enthousiasme qu'il va tracer son portrait dans *Le Bourgeois gentilhomme,* on le dirait fait par un jeune homme de vingt ans. Oui Molière vient de les retrouver, mais pour la dernière fois. Il installe son jeune comédien chez lui. Il adore sa femme. Il est heureux. Tout va bien.

Par deux nouvelles lettres de cachet il démontre que sa faveur est toujours grande auprès du Roi, et il fait entrer dans sa troupe deux autres comédiens, Beauval et sa femme, qui jouaient précédemment en province avec Baron, ce qui laisse à penser que l'engagement a été fait à l'instigation de celui-ci.

Mlle Beauval possède un rire solide, dont Molière va tout de suite se servir pour le rôle de Nicole, de toute évidence écrit pour elle.

Et l'on repart pour Chambord, toujours à l'époque de la chasse, afin d'y créer, juste un an après *Pourceaugnac, Le Bourgeois gentilhomme*.

On connaît l'origine de la pièce. Suleimen Aga, envoyé de la Sublime Porte, avait débarqué à Marseille l'année précédente. Son ambassade, qui avait pour but un rapprochement avec la France, s'était achevée dans le ridicule, tant étaient grandes ses exigences sur le plan du protocole. Louis XIV avait, on ne sait trop pourquoi, cédé au désir ou au besoin de l'éblouir, puis irrité de n'y être point parvenu en dépit d'une exposition sur sa personne de tous les diamants de la Couronne, avait renvoyé sans ménagement Suleiman dans ses foyers, expression très exacte, puisqu'il s'agit d'un musulman.

Le chevalier d'Arvieux, qui entendait le turc, avait voyagé dans le Proche-Orient et servit de truchement lors des conversations entre le Roi, de Lionne et Suleiman. Il est chargé par Sa Majesté de documenter Molière afin que celui-ci par manière de vengeance tire de l'incident quelques intermèdes bouffons. D'Arvieux vient souvent à Auteuil. Molière profite des rites, de la drôlerie des mots, écrit le turc de cuisine et la fameuse cérémonie.

Le ballet et la cérémonie, écrira assez naïvement d'Arvieux, furent représentés avec un si grand succès que, quoiqu'on les répétât plusieurs fois de suite, tout le monde les redemandait encore ; aussi ne pouvait-on rien ajouter à l'habileté des acteurs. On voulut même faire entrer les scènes turques dans le ballet de *Psyché,* qu'on préparait pour le carnaval suivant, mais, après y avoir bien pensé, on jugea que ces deux sujets ne pouvaient pas aller ensemble... Il fallait y penser.

Molière saisit l'occasion de tourner en ridicule Géraud de Cordemoy, philosophe et académicien, protégé de Bossuet et dont il avait eu à souffrir. Il emprunte à un ouvrage de Cordemoy intitulé : *Discours physique de la parole,* des phrases qu'il met textuellement dans la bouche de son maître de philosophie.

A la surprise générale le Roi voit la première représentation d'un œil morne ; les courtisans se hâtent d'en conclure que la comédie lui déplaît et avec leur courage habituel le répandent dans tout Chambord, en y joignant l'appui de leurs raisons très personnelles. Mais Louis XIV qui peut-être avait voulu se divertir un peu cruellement aux dépens de ses flatteurs attitrés, et indirectement aux dépens de Molière, rit de bon cœur la deuxième fois qu'il voit la pièce.

La construction du *Bourgeois gentilhomme* est assez déconcertante. La comédie semble avoir été faite par bribes et sans plan déterminé. Les deux premiers actes, les meilleurs, sont dépourvus d'action. C'est la peinture d'un caractère qui deviendra très populaire sans que, chose curieuse, la pièce soit souvent jouée, (ce M. Jourdain qui fait de la prose sans le savoir paraîtra sur la scène du théâtre français moins de six cent cinquante fois en trois siècles). A peine apprend-on au cours de ces deux actes que notre héros a une femme, une servante et qu'il souhaite avoir une maîtresse. Absolument pas question de sa fille, de son amant, de Dorante ou de Covielle.

Tous ces personnages apparaîtront au cours du troisième acte qui est fort long et qui assure à lui seul le rôle de moteur de la comédie, mais ils se présentent sans préparation. Il faudra moins de vingt répliques pour annoncer le comte et à peine quatre, ce qui paraît incroyable, pour faire connaître Cléonte, Covielle et annoncer leurs amours.

Le quatrième acte est presque tout entier rempli par la turquerie et quand nous aurons dit qu'il faudrait plus de quatre « acte V » pour faire un acte III, nous aurons assez fait voir l'absence d'équilibre de la construction.

La pièce est gaie, légère, pleine de subtiles et cruelles naïvetés. Elle a fait le tour du monde. Les pays de l'Est y voient, bien à tort, une satire de la bourgeoisie. Le mot n'avait pas à l'époque de Molière le sens péjoratif dont on le chargera à partir de la seconde moitié du XIXe siècle. A l'Ouest cela paraît très français. Mais de chaque côté l'on y rit d'aussi bon cœur.

Le voyageur qui fait de nos jours le voyage de Chambord ne doit pas manquer de monter jusqu'à la salle où jouait Molière. On y voit encore côté jardin l'unique petite porte par laquelle entraient les acteurs. L'œil peut évaluer rapidement les dimensions de la scène et son niveau. Ces proportions entrent pour beaucoup dans l'idée que l'on peut se faire d'une représentation du *Bourgeois gentilhomme*.

Mais revenons à Molière qui rentre à Paris. D'abord la troupe se réunit et permet à Louis Béjart (le chien de boîteux de *l'Avare*) de se retirer, ce qui n'est peut être qu'un euphémisme. Louis Béjart n'a que quarante ans et l'on s'étonne de le voir quitter si tôt une troupe qu'il a toujours servie avec modestie. Le théâtre lui versera désormais une pension de mille livres. Ce sera le premier retraité du Théâtre Français.

L'année 1670 voit le retour de celui dont on dira qu'il fût le maître de Molière et que la nature fut le sien.

Scaramouche attire tout Paris au Palais-Royal.

Ses grimaces et ses contorsions surprenantes, au premier coup d'œil démesurément outrées, mais à la réflexion simples grossissements de la vérité, caricature au trait fort, provoquent le comique chez les raffinés comme chez le populaire, elles dérident les rois et les enfants, les moroses et les malades. Scaramouche est un phénomène, il parcourt sans cesse l'Europe, se pliant aux mœurs de toutes les contrées. Habile, malin, hâbleur, un peu filou, sa vie n'est pas un exemple de morale. Goinfre et gourmand au-delà de toute imagination, il mourra à l'âge de quatre-vingt-dix ans d'une indigestion.

Le 14 septembre, fait étrange, et dont il faudra nous souvenir en temps utile, Molière prête à Lulli la somme très importante de onze mille livres remboursable en une rente annuelle de 550 livres. C'est à cette même époque que l'on répète activement une tragédie-ballet qui, par extraordinaire, sera créée aux Tuileries, dans la salle des machines.

Molière qui entend exploiter ensuite sur son théâtre cette pièce, la plus coûteuse de toutes, fait procéder à d'importants travaux de charpente et de machinerie.

Ce sera l'occasion d'une sorte de révolution dans certains usages du théâtre : « Jusqu'ici, dit La Grange, les musiciens et musiciennes n'avaient point voulu paraître en public. Ils chantaient à la comédie dans des loges grillées et treillissées ; mais on surmonta cet obstacle et avec quelque légère dépense on trouva des personnes qui chantèrent sur le théâtre à visage découvert, habillées comme les comédiens. » L'Opéra est vraiment en train de naître.

Il écrit le premier acte de *Psyché*, la première scène du second et la première du troisième. Pris de court, ne pouvant se résoudre à achever l'œuvre en prose, il va porter à Corneille le plan de sa tragédie. L'auteur du *Cid* écrit rapidement plus de douze cent vers, parmi les plus beaux qu'il ait faits, comme si c'était la chose la plus aisée du monde. Un homme de métier s'adresse tout simplement à un autre homme de métier. Quinault écrit les paroles qui se chantent et Lulli la musique. On dit que Corneille accepte d'autant plus volontiers ce travail, qu'il est amoureux de Mlle Molière, on dit même qu'il écrira *Pulchérie* l'année suivante dans l'unique but de lui plaire et pour avoir une occasion de la retrouver :

L'auteur a fait ce poème
Par l'effet d'une estime extrême

Pour la merveilleuse Psyché...
Où Mademoiselle Molière...

Tous les contemporains s'accordent d'ailleurs pour proclamer que celle-ci vient de trouver dans le personnage de Psyché le rôle de sa vie.

Robinet parle de... « la belle Psyché par qui maint cœur est alléché », et il vante son jeu divin, son air, sa grâce et son esprit. Mlle Molière a vingt-sept ou vingt-huit ans, il n'est pas étonnant qu'elle ensorcelle.

Mais le plus étonnant reste à dire. Baron qui joue à ses côtés le rôle de « l'Amour » va tomber dans ses rêts. Est-ce par hasard, ou comme cela se voit quelquefois au cours de répétitions, que les deux héros de la pièce se rapprochent, ou ne serait-ce pas plutôt que, par l'effet d'une vengeance froidement calculée, Armande, ayant essayé en 1666 d'enlever Molière à Baron, cherche en 1670 à ôter Baron à Molière.

Baron a dix-huit ans. Il vit dans la maison de son maître. L'indifférence n'est pas un sentiment compatible avec le caractère et l'âge d'Armande, « il faut désormais que son cœur s'il n'aime avec passion, haïsse avec fureur ».

Ici c'est le contraire qui se produit. Par jeu peut-être plus que par désir véritable, elle prend plaisir à séduire le jeune Baron

Le public est toujours prêt à bâtir un roman autour des amours des comédiens. Celui-ci est tout de suite fait par des esprits malveillants ; on raconte que Molière, excédé par la mauvaise humeur constante de sa femme, vient de découvrir la preuve de son infidélité. La scène est terrible. Molière comme il en a le droit veut la faire enfermer. Elle le supplie en vain. Puis elle s'évanouit. Frayeur sincère ou jeu de comédienne, Molière ne distingue plus rien, il voit sa femme inerte à ses pieds, il la fait revenir et il pardonne.

Cette scène sera contée plus tard dans un pamphlet dirigé contre Armande devenue « la Guérin », et intitulé *La Fameuse Comédienne*.

La vérité est tout autre, l'idylle de Mlle Molière avec Baron est certaine mais discrète et de peu de durée. Molière ne la connaît pas. On l'imagine mal confessant comme Orgon que « sa complaisance est grande » et gardant délibérément ce nouveau Tartuffe à son foyer. Il n'y a, d'autre part, pas trace d'un éclat. Orgon, Molière l'est à ce moment-là, et Baron va montrer par son caractère, son attitude et ses procédés qu'il est fort capable de jouer Tartuffe au naturel.

Molière est malade, il a besoin, plus que jamais, de retrouver Armande. Il renonce à son régime lacté, il entoure sa femme de soins, il fait voir son amour et même son adoration, il la comble de présents et la prend dans ses bras. Ce sera le dernier rapprochement des époux.

Il n'abandonne pas son métier. Il a bâti depuis longtemps une pièce en vers. Peut-être par réaction contre cette longue série de comédies-ballets faites sur commande, sent-il renaître en lui une ardeur combative. Mais s'il repart à l'attaque il veut que ce soit sous la noble forme de la grande comédie. Le soin qu'il apporte à la rimer, le peu de temps dont il dispose et les nécessités du théâtre, l'obligent à laisser son ouvrage momentanément sur le métier et à écrire rapidement une farce en trois actes *Les Fourberies de Scapin,* qui fera couler beaucoup d'encre chez les critiques, et chez Boileau en premier lieu.

De ce dernier Molière (comme Racine d'ailleurs) accepte tout. C'est que l'amitié sincère de Boileau pour Molière auteur se double d'une admiration qui ne se démentira jamais et qui, au soir de sa vie, lui fera trouver le courage de répondre à la question de Louis XIV : « Quel a été le plus grand écrivain de mon règne ? — Sire, c'est Molière. — Je ne le croyais pas, dira le Roi, mais vous vous y connaissez mieux que moi. »

Oui Boileau s'y « connaissait ».

C'est après la première des *Fourberies de Scapin,* à la fin du mois de mai 1671, qu'il vient au chevet de Molière. Il lui dit alors, après l'avoir sermonné sur son peu de raison à prendre du repos : « Contentez-vous de composer et laissez l'action théâtrale à quelqu'un de vos camarades ; cela vous fera plus d'honneur dans le public, qui regardera vos acteurs comme vos gagistes ; et vos acteurs d'ailleurs, qui ne sont pas des plus souples avec vous, sentiront mieux votre supériorité. — Ah ! Monsieur, répond Molière, que dites-vous là ? Il y a honneur pour moi à ne point quitter. » C'est à cette époque qu'on lui offre d'entrer à l'Académie à condition de ne plus jouer que les rôles graves ou à manteau et qu'il renonce aux valets.

La phrase de Boileau fait apparaître une sorte de réticence chez les acteurs de la troupe. C'est parce qu'elle n'était plus la même. La présence de nouveaux venus (le ménage Beauval), la jalousie qu'excite la place privilégiée de Baron, le sentiment d'injustice ressenti par certains des anciens, tout cela doit amener des heurts qui, en dépit des efforts du toujours fidèle La Grange, atteignent et fatiguent Molière.

Cependant Scapin poursuit son succès. Son nom

est celui du personnage principal de la comédie de Beltrame que Molière avait vue à Lyon en 1653. *L'Innavertito* était devenu *L'Etourdi* et « Scappino » plus facilement s'est mué en Scapin.

On connaît les emprunts faits par Molière à l'œuvre de Cyrano de Bergerac : *Le Pédant joué* ; une légende voulait même, au XIXe siècle, que l'édition originale des *Fourberies* ait été rendue introuvable par l'obstination qu'auraient mise les héritiers de Cyrano à en rechercher et à en détruire les exemplaires.

La réponse faite par Molière à ceux qui l'accusaient de plagiat : « Je prends mon bien où je le trouve » relève de la légende.

L'année 1671 semble se traîner dans une atmosphère assez morose. Des signes avant-coureurs d'une disgrâce prochaine apparaissent. Plus de représentations à la cour, plus de visites. Il reçoit pour la dernière fois une gratification de mille livres. Depuis 1664, elle lui était versée régulièrement tantôt « en considération de son application aux belles lettres », tantôt « en considération des ouvrages de théâtre qu'il a donnés au public ».

Pour des raisons inconnues, il se brouille avec d'Assoucy, lequel proclame que c'est la faute de Molière et non la sienne et néanmoins lui rend hommage dans ses « Rimes redoublées » qui paraissent cette même année :

Malgré le malin détracteur...

C'est Chapelle que d'Assoucy désigne ici comme étant l'instrument de la rupture.

J'ai toujours été serviteur
De l'incomparable Molière

Et son plus grand admirateur
Car sur l'un et l'autre hémisphère
Onc ne fut si galant auteur.
Tu m'en crois bien ami lecteur ;
Pour moi je l'aime et le révère,
Oui, sans doute, et de tout mon cœur.
Il est vrai qu'il ne m'aime guère !...
Que voulez-vous ? C'est un malheur.
L'abondance fuit la misère,
Et le petit, le pauvre hère
Ne cadre point à gros seigneur.

Molière travaille toujours à sa grande pièce et s'en distrait quelque temps à la fin de l'année, pour donner *La Comtesse d'Escarbagnas,* petite comédie provinciale fort brève et assez curieuse qui, après une exposition et une présentation de personnages très brillantes, tourne court et sent le prétexte. La pièce avait été écrite à la demande du Roi pour accompagner un spectacle donné en l'honneur du mariage de Monsieur et de la princesse Palatine et intitulé « le ballet des ballets », spectacle qui se composait des intermèdes les plus goûtés de *Psyché,* des *Amants magnifiques,* de *George Dandin,* du *Ballet des miroirs* et du *Bourgeois gentilhomme.*

On ne sait trop pourquoi notre auteur se souvient, en composant sa petite comédie, d'un séjour fait jadis dans l'Angoumois. Il y avait rencontré Sarah de Pérusse, fille du comte d'Escars et femme du sieur Joubert de Tison, qui se fait appeler sans raison aucune : comte de Baignac. Les noms de seigneurie des époux : Escars et Baignac se transforment une fois assemblés en Escarbagnas.

Pourceaugnac, Escarbagnas... les ridicules de province reviennent en mémoire à Molière. Le sot orgueil des personnages laisse penser qu'il a dû quelque peu, sinon en souffrir, du moins en être irrité. Pour s'être fait attendre plus de vingt ans, la vengeance est, avouons-le, assez cruelle.

L'année 1672 va débuter tragiquement. Le 17 février, La Grange, en signe de grand deuil, dessine un losange noir sur son registre. Madeleine Béjart est morte dans sa cinquante-cinquième année. Molière voit partir une amie fidèle et sûre et aussi, il ne l'a jamais oublié, son premier amour. Madeleine avant de mourir institue Armande sa légataire universelle, elle fonde à perpétuité « deux messes basses de Requiem pour chaque semaine », et renonce pour avoir droit à la sépulture chrétienne à son métier de comédienne.

Son corps sera transporté à Saint-Germain-l'Auxerrois et de là au cimetière Saint-Paul où, selon ses vœux, elle sera inhumée sous le charnier.

Etrange coïncidence : Molière mourra jour pour jour un an plus tard.

Le 11 mars, le théâtre du Palais-Royal affiche la première représentation des *Femmes savantes*.

C'est certainement la pièce la plus achevée, la plus travaillée de notre auteur. Il y a apporté tous ses soins. C'est la plus équilibrée aussi, la plus raffinée dans sa construction. L'intrigue ne subit pas la loi du personnage principal comme dans *L'Ecole des femmes* ou *Le Misanthrope,* mais elle se trouve répartie sur neuf personnages. Neuf beaux rôles qui paraissent longs et dont le plus important l'est quatre fois moins que celui d'Arnolphe. Molière, qui a renoncé à la politique, n'a pas résisté à lancer sa pointe contre l'académisme. Avec une audace et une impertinence que la presse et le public ne supporteraient plus de nos jours, il extrait deux pièces de vers d'un recueil de l'abbé Cotin et les déchire à belles dents sur le théâtre. Comme le chat fait d'une souris qu'il vient d'attraper, il lâche sa victime, la reprend, la retourne, la rejette encore pour mieux la traîner avant de l'achever.

L'audace est grande. Cotin est bien en Cour et le Roi cette fois n'a pas autorisé l'attaque. Ce qui paraît un jeu à Molière à côté du combat de *Tartuffe* va lui attirer des haines nouvelles toutes aussi sournoises, toutes aussi dangereuses et qui se mêleront fort à propos de réveiller les anciennes.

L'abbé d'Aubignac, adversaire acharné de Corneille, avait brigué un moment la place d'intendant des spectacles. Molière avait usé de son crédit pour lui faire échec. Dans sa *Pratique du Théâtre* publiée en 1669, d'Aubignac, en retour, ne mentionnait pas une seule des comédies de notre auteur et s'employait à partir de ce moment à le dénigrer à la Cour où il avait des appuis considérables.

Cotin, chapelain du Roi, s'était déchaîné dans ses sermons à l'occasion du *Tartuffe*. La vengeance de Molière le laissera muet pour dix ans.

Ménage, lui, est plus adroit. Il porte beau. A Mme de Rambouillet qui lui dit : « Quoi ! Monsieur, vous souffrirez que cet impertinent nous joue de la sorte ? » Ménage répond froidement : « J'ai vu la pièce ; elle est parfaitement belle, on n'y peut rien trouver à redire ni à critiquer. »

Si Ménage se tait il agit dans l'ombre.

Rien n'est moins politique que cette offensive ordonnée contre les beaux esprits. Leur amour-propre blessé va les charger de haine. Leur susceptibilité, déjà naturellement en éveil, est maintenant piquée à mort. La grande habileté de l'auteur des *Femmes savantes* est d'avoir mené l'attaque avec le bon sens de Chrysale, l'esprit d'Ariste et la fougue de Clitandre. Rien n'est plus douloureux que de se voir méprisé par la jeunesse. Clitandre c'est encore Alceste. Il piaffe, il s'indigne, il s'entête, il cherche la bataille, il la provoque, il ne cède que difficilement à sa chère Henriette. Molière insiste sur sa pauvreté. Il y a un aspect social des *Femmes savantes* qui n'est pas à négliger. La richesse fabuleuse de ces bourgeois qui touchent de près à la Cour, et qui en réalité ne sont faits bourgeois que par jeu de théâtre, s'oppose à ce qu'Ariste appelle le peu d'abondance de bien de Clitandre.

Il existait alors une espèce de code de la bienséance. De même que pour Beaumarchais, le château d'Aguas Frescas, c'est Versailles ou St Germain, Chrysale quoique qualifié de bon bourgeois est gentilhomme. Seul un homme de Cour peut s'inquiéter à ce point de la noblesse de son futur gendre. Orgon fait de même. La Cour est là toujours présente. L'un avait servi son Roi (seuls les gentilshommes étaient en pouvoir de le faire), l'autre reçoit à son corps défendant Ménage et l'abbé Cotin.

La dignité voulait qu'un distinguo s'établît entre les personnages. Lucas, Thibaut, Colin ou Perrin sont de vrais noms de paysans en usage à l'époque. Personne ne s'est jamais appelé Clitandre, Dorante, Cléante, Célimène ou Damis. Il ne serait pas venu à l'idée de Molière d'user des prénoms de Philippe, d'Henri, de Charles, de Bernard ou de Louis.

Un fait étrange mérite d'être signalé : avant et

après la création de sa pièce qui a lieu le 11 mars 1672, l'auteur en fait plusieurs lectures tantôt sous le titre de *Trissotin,* tantôt sous celui des *Femmes savantes.* Deux de ces lectures ont lieu chez M. de la Rochefoucauld. La troisième chez le cardinal de Retz. Deux des éternels ennemis du Roi. Parle-t-on seulement théâtre au cours de ces réunions ? Il est permis d'en douter à la lumière des événements qui vont brusquer la fin de cette histoire.

Du point de vue philosophique, Molière qui s'est toujours battu pour l'émancipation de la femme fait machine arrière et met les points sur les I. Ni esclave, ni reine, la femme a sa place au foyer et dans la société mais la discrétion lui commande de cacher même son savoir. La pièce est hardie sur ce point. Le comique devait en être plus grand que celui qui s'en dégage actuellement. Nous avons eu depuis les suffragettes et le prix Fémina. De nos jours, pour être tout aussi excessive, Philaminte aurait tout simplement exclu les hommes de l'Académie. Ce rôle était tenu par un homme : « Hubert », qui avait été dragon avant de devenir comédien, ce qui rendait plus piquante encore pour les contemporains la réplique de Chrysale au sujet de sa femme :

Elle me fait trembler quand elle prend son ton
Je ne sais où me mettre et c'est un vrai dragon.

L'une des filles, peut-être en souvenir d'une des premières protectrices du poète, celle à laquelle il avait dédié *L'Ecole des femmes,* reçoit le nom d'Henriette.

Mais la création la plus subtile, la plus émouvante, le personnage le plus moderne, le plus complexe de la pièce c'est celui d'Armande. Constamment mise en péril d'être antipathique, agissant mal et maladroitement, affolée par la perte d'un amour qu'elle a laissé se diluer dans ses caprices, elle est toujours touchante, attendrissante et pitoyable. Il fallait que Molière l'aimât plus que les autres pour lui donner — fait unique — le prénom de sa femme.

L'ABANDON

X

L'ABANDON

Les événements vont maintenant se précipiter : Molière affiche le 8 juillet 1672 un spectacle composé de *La Comtesse d'Escarbagnas* dont c'est la première à Paris et du *Mariage forcé*. A la surprise générale l'auteur a remplacé dans cette dernière pièce la musique de Lulli par une autre toute nouvelle de Marc-Antoine Charpentier. Est-ce un affront ? Ce serait mal connaître Molière. C'est donc une riposte, ce n'est pas sans raisons qu'il se prive brutalement d'un compositeur de génie, depuis onze ans son collaborateur. Les raisons sont nombreuses et les faits surprenants ; le 13 mars 1672, Lulli obtient du Roi un privilège absolument monstrueux, qui fait défense aux autres théâtres d'user de la musique de ballet. Ceci sous couvert d'une fondation d'un opéra français. Le 29, Molière et ses camarades, visés directement, lésés dans leurs intérêts, blessés dans leur esprit confraternel font opposition à l'enregistrement du dit privilège. Molière qui depuis quatre ans construit des comédies-ballets qui ont la faveur du public se voit privé brusquement de l'exploitation d'un répertoire important et de la possibilité de poursuivre dans un genre où il a triomphé.

Le 14 avril Lulli contre-attaque et obtient une ordonnance royale qui défend à la comédie plus de six chanteurs et de douze violons. Lulli, c'est visible — et la suite va le prouver — cherche à affamer Molière pour se rendre maître de la place. En attendant de pouvoir chasser les comédiens du Palais-Royal, il loue pour huit mois seulement — il y a donc préméditation — le jeu de paume de Bel-Air. C'est chose faite le 12 août, et le jour même, Lulli obtient du Roi une nouvelle ordonnance. Le 23 il signe un traité avec Vigarani pour la construction et les décors de l'opéra. Le génial Italien qui avait mis en scène *Les Amants magnifiques* et tant de fois collaboré avec Molière est dorénavant aux ordres de Lulli.

Le 20 septembre, celui-ci obtient encore du Roi un privilège pour l'impression de sa musique.

Pourquoi tant de faveurs ? Elles sont justifiées, dans la mesure où, comme Molière, Lulli a bien servi le Roi. Mais pourquoi l'élévation de l'un doit-elle se fonder sur l'abaissement de l'autre ?

Molière s'est toujours montré loyal. Il a fait plus. Cédant plusieurs fois au désir qu'avait Lulli de jouer la comédie, il lui a donné des rôles. On sait que le Florentin l'a remplacé dans M. de Pourceaugnac.

L'explication est simple. Lulli est ambitieux. Il arrive souvent dans ce métier, et dans la vie, que la mesure d'une ambition n'est prise que le jour où celui qui en est victime découvre les fautes qu'il a pu commettre.

Certes cela ne date pas d'hier mais, si Lulli passe à l'offensive, c'est qu'il se sent fort. S'il se sent fort, c'est qu'il a des amis. Quels amis ? Ceux qui gravitent autour de Monsieur et qui forment un parti politique dont la particularité tient uniquement à ses mœurs. Cela était visible depuis longtemps et quand Molière dans *Les Fâcheux* parle de « Baptiste le très cher » on peut voir dans l'appellation une preuve d'affection mais aussi une allusion à peine déguisée. La brouille avec d'Assoucy a eu peut-être la même cause.

Louis XIV se fait lointain. Il ne prend pas encore ouvertement position, mais il laisse faire. Molière sollicite de lui la grâce de Jean Ribou qui a été condamné au bannissement. Le Roi l'accorde, mais cela est extra-professionnel. En réalité ce Roi de trente-cinq ans est en train d'abandonner assez lâchement celui dont le monarque de vingt-six ans ne pouvait se passer.

Pour bien saisir l'incompréhension puis la désillusion de Molière il faut imaginer quels étaient ses rapports avec Louis XIV.

Molière était partout, chez les libertins — comme Monsieur — chez les jansénistes, — on l'a vu par la lettre de Racine —, chez les protestants — témoin le pamphlet qui l'associe à Turenne — et chez les jésuites. Molière faisait de la politique, la phrase du père Rapin à Bussy-Rabutin : « Molière est des nôtres » en dit long.

Le père Rapin était jésuite, Bussy-Rabutin libertin déclaré. Mais ce siècle était secret. Le double jeu se pratiquait déjà et ce qui paraît absurde pouvait très bien s'expliquer. Les précautions prises par Mme de Sévigné dans ses lettres sont assez révélatrices de sa crainte de voir son courrier ouvert. La police était partout.

Molière n'appartenait à aucun parti et n'en trahissait aucun. Il allait de l'un à l'autre attiré par ceux-ci, choyé par ceux-là. Il ne pouvait pas ne pas entendre, ne pas voir certaines choses ni en tirer des déductions. Sa sagesse, son équilibre, son mépris des intrigues (il avait autre chose à faire) lui faisaient recevoir certaines confidences avec prudence, mais il n'était pas un saint et dans une période de crise comme celle de *Tartuffe* il a pu, presque malgré lui, laisser échapper une plainte qui l'a engagé plus qu'il ne l'aurait voulu.

Ce que l'un dit d'une manière, l'autre l'entend ou veut l'entendre d'une autre. C'est ainsi que des malentendus s'installent et s'entretiennent.

Molière n'y prend pas garde d'abord, parce qu'il a l'âme pure et désintéressée, la conscience tranquille, ensuite parce qu'il voit presque journellement le Roi auquel il semble indispensable.

Comment penser que Louis XIV qui s'entretient avec son comédien quelquefois pendant plus de deux heures dans la même journée ne parle que théâtre. Molière est un esprit universel. Le jugement qu'il peut porter sur un homme, le portrait qu'il trace d'un courtisan, le fait sortir fatalement des limites de la comédie.

Louis XIV consacre du temps à ses plaisirs mais moins qu'à son métier de Roi.

Et quand bien même Molière ferait confidence à son souverain de certains faits qu'il aurait observés, qui pourrait lui en faire grief ? Le Roi n'est pas un parti. Son devoir lui commande de le servir et sa légitime reconnaissance est là pour appuyer son devoir. Il n'en doit attendre ni faveur ni remerciement.

Or ce Roi que dans un élan passionné il compare à Dieu même, au lieu d'indifférence, lui témoigne une sympathie qui en aurait chaviré de plus équilibrés que lui. Molière prend pour de la chaleur humaine ce qui n'est que l'expression d'un sentiment égoïste et passager.

Pour Louis XIV, Molière n'est qu'un sujet de plus dont il se sert, qu'il récompense ou qu'il châtie à sa guise. Il ne se pose pas de question. Il est loin des hommes, il ne doit rien qu'à sa parole, qu'il n'a jamais à donner qu'à un autre Roi. Rien ne l'engage. L'erreur de Molière c'est de croire qu'il peut influencer ce jeune homme (il avait vingt ans au moment de l'arrivée à Paris, vingt-six à l'époque du *Tartuffe*), auquel il prête un caractère si généreux et qui va se révéler rapidement plein d'orgueil, indifférent du sang de ses sujets.

Molière se brûle les ailes en se frottant à tous les partis. N'en ayant choisi aucun il ne retrouve personne à l'heure du péril. La faveur du Roi est capricieuse comme le vent. Elle tourne sans qu'on puisse le prévoir, sans raison même et rien ne peut la contrarier. Elle avait été fort grande. Sans aller jusqu'à partager avec Molière son « en cas de nuit », à la face de ses courtisans stupéfaits (il y a longtemps que justice a été faite de cette légende charmante et absurde, immortalisée par Ingres), Louis XIV le comblait d'attention, de commandes, de dons, et de marques d'estime.

Mais ce qui paraissait le plus doux, le plus rassurant, le plus prophétique à l'âme de Molière c'était que le désir et les ordres du Roi allaient dans le sens de sa mission.

Lorsqu'il parle, dans *L'Impromptu de Versailles,* des « autres ouvrages qu'il a à faire », il sent ce qu'il porte en lui. Il a beaucoup à dire et il veut le dire : La Grange confirme cette détermination de Molière lorsqu'il note dans sa préface : « Il trouva à propos de supprimer ces petites comédies (il s'agissait du *Docteur amoureux*) lorsqu'il se fut proposé pour but dans toutes ses pièces d'obliger les hommes à se corriger de leurs défauts. »

Donc Molière a un but de vie. Sur son chemin tout tracé il trouve son Roi, que Dieu lui-même semble avoir placé là pour le conduire. Le sens de sa mission lui apparaît clair et indiscutable.

Louis XIV change d'attitude en toute bonne foi. Aux yeux de Molière elle prend les apparences d'une trahison. Le choc qu'il en reçoit est très grand, et va de beaucoup influencer un état de santé très précaire. Racine subira d'une façon quasi semblable le même destin.

Molière, sans en être tout à fait sûr, pressent à de certains indices une disgrâce inexplicable. Impressionné sans doute par la fin édifiante de Madeleine Béjart, il va le jour de Pâques communier à Saint-Germain-l'Auxerrois.

Le 25 août La Grange épouse Marie Ragueneau, la fille du célèbre pâtissier. L'on cherche les raisons qui poussent ce comédien élégant, au physique charmant, à s'unir à une femme laide, acariâtre et dénuée de talent.

Jusqu'à la mort de Madeleine Béjart, Molière et sa femme habitaient avec elle, sa sœur Geneviève et le premier mari de celle-ci Léonard de Loménie, rue

Saint-Thomas-du-Louvre. Cette vie de famille n'était peut-être pas faite pour rapprocher les époux, les motifs de heurts devaient surgir nombreux. Après la disparition de la mère d'Armande et le second mariage de sa tante, le ménage Poquelin, après avoir quelque temps logé rue Saint-Honoré, loue au tailleur René Baudellet, moyennant treize cent livres de loyer par an, une maison somptueuse sise rue de Richelieu (en face de l'actuelle fontaine) et dans laquelle il emménage le 23 septembre 1672.

Il y a un grand rez-de-chaussée sur caves, une immense cuisine remplie de marmites, tourtières, poêlons, alambics et chaudrons, deux grandes fontaines de cuivre rouge et dans un étui l'instrument de M. Fleurant. Quatre entresols : dans les uns couchent les deux servantes Renée Vannier dite Laforêt et Catherine Lemoyne, dans le troisième il y a le lit de la petite Madeleine-Esprit et dans le quatrième un berceau pour l'enfant qu'Armande vient de mettre au monde le 15 septembre. La « réception » est au premier étage, et Jean-Baptiste s'est réservé le second pour lui et sa femme. Dans la chambre de notre auteur un lit bas, en bois de noyer avec ses rideaux de serge d'Aumale, celui où il rendra le dernier soupir, une grande chaise de repos à crémaillère par les bras comme celle que possède encore la Comédie-Française ; un coffre-fort, un paravent. Il y a aussi deux clavecins. Armande a une voix ravissante et chante également bien en français et en italien. Il y a partout des rideaux en taffetas aurore et vert... toujours le vert ! Dans la chambre d'Armande le lit est précieux, surmonté d'un dôme sculpté et doré dont les ornements sont en forme de campanes ou de clochettes. Les rideaux figurant une tente ou un pavillon sont en taffetas gris de lin, brodé d'un petit cordonnet d'or avec mollet d'or et de soie. Une infinité de meubles de toutes sortes emplit la maison de la cave au grenier. Dans celui-ci trois estampes vernies : deux représentent Anne d'Autriche, la troisième Turenne.

Ce goût du luxe, qu'il a hérité de sa mère, Molière l'a toujours eu. Déjà en 1670 Le Boulanger de Chalussay faisait dire à Elomire :

...Nous verrions-nous une chambre si belle :
Ces meubles précieux sous de si beaux lambris
Ces lustres éclatants, ces cabinets de prix,
Ces miroirs, ces tableaux, cette tapisserie,
Qui seule épuisa l'art de la Savonnerie,
Enfin tous ces bijoux qui te charment les yeux
Sans ce divin talent seraient-ils en ces lieux ?

On découvre dans la bibliothèque la Sainte Bible, Plutarque, Hérodote, Virgile, Horace, Sénèque, Tite-Live, Juvénal, Montaigne, Balzac, Pierre Corneille, deux cent quarante volumes de comédies françaises, italiennes et espagnoles, etc.

Détail amusant, on retrouvera dans l'inventaire fait après la mort du poète nombre de meubles et d'objets ayant servi à la rédaction du mémoire de La Flèche : « La grande table de bois de noyer, à douze colonnes ou piliers tournés, les trois récipients fort utiles à ceux qui sont curieux de distiller, le pavillon à queue, la bonne serge d'Aumale, ainsi que le mollet et les franges de soie. »

Molière, si fastueux dans son intérieur, est modeste et discret dans sa mise. Il est toujours vêtu de drap noir ou de droguet brun. Quand il se rend chez le

Roi, il se permet la rhingrave de satin de Hollande musc avec la veste de satin de la Chine. Chez lui, et nombre de ses portraits le prouvent, il affectionne d'être en robe de chambre et nous savons que l'une est de brocart rayé.

A propos de cette Laforet qui couche dans un des entresols, Boileau conte dans ses *Réflexions critiques*: « Je me souviens que Molière m'a montré plusieurs fois une vieille servante qu'il avait chez lui, à qui il lisait, disait-il, quelquefois ses comédies, et il m'assurait que lorsque des endroits de comédie ne l'avaient point frappée, il les corrigeait, parce qu'il avait plusieurs fois éprouvé, sur son théâtre, que ces endroits n'y réussissaient point. »

A ceci, Brossette ajoute : « Un jour, Molière pour éprouver le goût de Laforêt lui lut quelques scènes d'une comédie qu'il disait être de lui, mais qui était de Brécourt. La servante ne prit point le change et après en avoir ouï quelques mots elle soutint que son maître n'avait pas fait cette pièce. »

Le 1er octobre, la maison est toute à la joie, on baptise le petit Pierre, Jean-Baptiste, Armand. Le parrain est Pierre Boileau de Puymorin, la marraine Catherine Mignard, la fille du peintre, grand ami de Molière. Hélas ! dix jours après tous sont à la peine, le second fils de Molière est mort. Le 11 octobre le théâtre fait relâche. Son chef n'est pas en état de jouer. Seule reste la petite fille qui vient d'avoir sept ans.

Molière achève sous ces mauvais auspices son *Malade imaginaire*. A partir de la fin du premier acte la pièce se ressent de l'atmosphère dans laquelle

elle a été conçue. On y atteint au comique par le sinistre. Tout a été dit sur ce jeu de Molière et de la mort ! Jusque-là l'auteur a pour ainsi dire satirisé la médecine de biais, soit en peignant des médecins ridicules ou fous, soit par les facéties de ses « Sganarelles ». Cette fois il l'attaque de front. Non seulement il fait défiler devant nos yeux des docteurs de toutes sortes, sots, vaniteux, méchants, orgueilleux et intéressés, un apothicaire sénile, mais il dresse en face de la médecine de son temps l'homme raisonnable, l'intelligence de la comédie, qui, au cours d'une scène admirable, va prononcer un véritable réquisitoire contre les méthodes et l'impuissance de ces faux savants. Molière prend même parti sur le plan de la doctrine. En faisant dire à ce niais de Thomas Diafoirus : « J'ai contre les circulateurs soutenu une thèse... » il défend la théorie nouvelle sur la circulation du sang. On voit là le fruit de ses conversations avec Rohault dont le *Traité de physique* paru deux ans plus tôt est un des livres préférés de notre poète. Le latin burlesque de la cérémonie finale est improvisé en commun, à un souper, chez Mme de la Sablière, où se trouvaient avec Ninon de Lenclos et Boileau, le médecin Mauvillain ; on en fera longtemps grief à ce dernier.

Porter des coups à la médecine, n'est pas le seul but que Molière se propose. Depuis *Psyché,* il a délaissé la comédie-ballet. Or le genre plaît au Roi. Celui-ci se fait de jour en jour plus distant. Sans s'en expliquer, pourquoi le ferait-il, Louis ne suggère plus, n'exprime plus de désirs, ne donne plus d'ordres. A la longue, cela devient bizarre et c'est un peu pour retrouver son monarque dans une atmosphère qui lui fut si souvent heureuse, peut-être aussi pour dissiper un malentendu qu'il ne s'explique pas et préciser une situation qu'il sent de jour en jour lui être de plus en plus défavorable qu'il se lance dans cette entreprise. Le dessein en est grand, le cœur a besoin d'exaltation, l'esprit vient par bouffées, mais l'amertume reste sous-jacente et puis les forces diminuent. Les répétitions commencent le 22 novembre 1672. Elles vont durer deux mois et demi. Le travail est considérable. La musique, le chant et la danse qui dans les représentations actuelles ont des proportions raisonnables, noyent littéralement la comédie. Le prologue a des dimensions inusitées. C'est qu'il a pour but, dit Molière, de délasser le Roi de ses nobles travaux et de le divertir après ses glorieuses fatigues et ses exploits victorieux.

Jamais Molière ne s'est davantage courbé devant le Roi. Il chante Louis sur tous les tons :

Louis est de retour
Il ramène en ces lieux les plaisirs et l'amour.
Tel, et plus fier, et plus rapide
Marche Louis dans ses exploits
Pour chanter de Louis l'intrépide courage
Il n'est point d'assez docte voix.

Cela ne tarit point. De toute évidence, Molière espère par cette pièce se rapprocher du Roi. Il ne reste plus qu'à savoir si la première aura lieu à Versailles ou à Saint-Germain (la saison de Chambord est finie).

Mais le temps passe et le Roi ne répond pas à l'offre qui lui est faite. Molière patiente, puis s'étonne et finalement s'inquiète. Le 17 décembre il monte en carrosse par un froid terrible et se fait conduire à Versailles. L'accueil qui est fait à Molière est en accord avec la température.

Il revient à Paris très abattu. Il commence à comprendre mais il espère encore et c'est ce qui explique la prolongation des répétitions.

Il est malade, mais il l'est depuis fort longtemps. Quatre années auparavant, dans *L'Avare,* il avait fait allusion à sa toux : « C'est ma fluxion qui me prend de temps en temps. » Il a même quelquefois dû cesser de jouer, mais cela ne l'a pas empêché d'écrire encore huit pièces et de les faire répéter. La phtisie (quand elle n'est pas, comme on l'appelle vulgairement galopante, et ce n'est pas le cas) est une affreuse maladie qui peut traîner en longueur pendant des mois, voire des années. Il y a un jour où l'on ne sort plus, un autre où l'on ne marche plus, un autre où l'on ne s'asseoit plus, un autre où l'on ne se lève plus, un dernier où l'on ne respire plus. Pendant les ultimes semaines, sinon pendant les ultimes mois le déclin des forces interdit tout travail physique. Il est en tout cas absolument impossible de supporter les fatigues et les soucis qu'impose le montage d'une pièce à grand spectacle.

Or Molière prépare une édition complète de ses œuvres qui ne paraîtra d'ailleurs qu'en 1674. Il répète pendant les mois de décembre et de janvier. Le dernier jour de l'année 1672 son grand ami Jacques Rohault meurt. Succédant au décès de son enfant, ce nouveau coup terrible atteint au plus profond de lui-même l'auteur du *Misanthrope.* Cependant, au cœur de cet hiver vigoureux, un des plus durs que Paris ait connu, il poursuit sa tâche. Il est partout à la fois, il surveille les habits de Baraillon, il consulte Beauchamps pour ses ballets, il précise à Marc-

Antoine Charpentier, son compositeur, ses idées, ses besoins et ses impératifs. Il dirige lui-même ses comédiens. Qui n'a jamais répété pendant trois heures une comédie à l'écriture rigoureuse ne peut se faire une idée de la fatigue physique qu'elle impose à l'acteur, au metteur en scène et à l'auteur. Or notre homme remplit ces trois offices en même temps.

Les comédiens s'impatientent, leur humeur s'aigrit. Un jour Mlle Beauval, qui doit jouer le rôle de Toinette, éclate : « Vous nous tourmentez tous mais vous ne dites rien à mon mari. — J'en serais bien fâché, répond Molière, je lui gâterais son jeu ; la Nature lui a donné de meilleures leçons que les miennes. »

Ce n'est pas une petite affaire que de tenir en haleine des comédiens qui veulent passer au public. Un départ serait une catastrophe. Et puis la petite fille des Beauval qui a huit ans va remplir le rôle de Louison.

Notre auteur a le premier mis des enfants sur le théâtre dans *M. de Pourceaugnac,* dans *Psyché* et dans la *Comtesse d'Escarbagnas*. Il sait de quelle patience il faut user avec eux pour en tirer quelque chose. La répétition terminée, il complimente donc à son tour la mère, qui est d'ailleurs une excellente soubrette.

Toutefois, cela ne serait rien s'il arrivait des nouvelles de la Cour. Le Roi vient de se transporter à Saint-Germain et son silence, qui ne cesse pas, angoisse Molière. Va-t-il pour la première fois de sa vie donner à son public parisien la primeur d'une comédie-ballet ? Cette idée l'impressionne, l'effraie, elle prendrait une signification grave. Son entourage qui sent son crédit décroître ne s'en montre pas plus fidèle, à quelques exceptions près. C'est dans l'ordre des choses humaines.

Molière réagit. Il ne peut croire que la route de la Cour lui soit définitivement coupée. Il reconnaît la main de Lulli, mais il ne mesure pas encore sa véritable puissance.

Tout en poursuivant ses politiques démarches, il assume son service au théâtre. Le 25 janvier il joue à l'Hôtel du Palais-Royal, pour Monsieur et la nouvelle Madame. Le 3 et le 5 février il paraît dans *Les Femmes savantes*. Le 7, c'est la répétition générale du *Malade imaginaire*. Cette fois tout est prêt. Va-t-on être absolument contraint de jouer à Paris ? Non. Un ultime effort est tenté, notre poète se rend à Saint-Germain, il tente de franchir le mur qui le sépare de son souverain tant aimé. Peine perdue, Louis ne le reçoit même pas. C'est Lulli qu'il veut maintenant, pas Molière. Celui-ci anéanti rentre dans la capitale. Mais il faut faire face. Les dés sont jetés. C'est à Paris que l'on jouera. Le 10 février voit donc la première représentation du *Malade imaginaire,* trentième et dernière pièce de notre auteur. Le succès en est grand la recette très belle (1 892 livres,) le parterre est au double. On redonne la pièce le lendemain et ce même jour il tient avec Mlle Beauval la fille de Beauchamps sur les fonts baptismaux de Saint-Sauveur. Il pourrait s'éviter cette fatigue supplémentaire et accepter d'être seulement parrain par procuration. Non, il tient à être présent. Est-ce vraiment là l'attitude d'un homme à l'agonie ? Molière, nous l'avons dit, est malade depuis longtemps, mais c'est le 17 février que *soudainement* son état s'aggrave. Pourquoi ? Il est certain qu'il se sent plus mal que de coutume. Il reste chez lui, hésitant, affaibli, se posant peut-être des questions sur son devoir ou sur l'état de ses forces. La mélancolie l'envahit, une fois de plus, il est assis dans son grand fauteuil, face au panier qui renferme ses costumes de théâtre, il aperçoit pêle-mêle la robe de chambre rayée doublée de taffetas aurore et vert de Monsieur Jourdain, le haut-de-chausses de damas rouge de Pourceaugnac, le tonnelet vert et le bonnet brodé de Sosie, le justaucorps de brocart rayé et de soie gris d'Alceste avec ses rubans verts, un peu partout toujours, le jaune et le vert de Sganarelle ; tout cela semble loin ; soudain, Molière prend de gros bas, des mules, un haut-de-chausses étroit, une camisole rouge, avec quelques galons ou dentelles, un vieux mouchoir de cou à passements, qu'il attache négligemment, un bonnet de nuit avec coiffe de dentelle et la fameuse robe de chambre, rien ne lui manque alors pour jouer Argan. Il se fait porter au théâtre.

Laissons maintenant la parole à Grimarest. Il s'agit d'un récit volontairement officiel. Il est nécessaire de le connaître. Nous noterons, au passage, ce qui relève de l'erreur ou de la contradiction et ce qui fait sentir le mystère : « Le jour que l'on devait donner la troisième représentation du *Malade imaginaire* (c'était en réalité la quatrième), Molière se trouva tourmenté de sa fluxion beaucoup plus qu'à l'ordinaire ce qui l'engagea de faire appeler sa femme à qui il dit en présence de Baron : « Tant que ma vie également de douleur et de plaisir je me suis cru heureux, mais aujourd'hui que je suis accablé de peine sans pouvoir compter sur aucun moment de satisfaction et de douceur, je vois bien qu'il me faut quitter la partie ; je ne puis plus tenir contre les douleurs et les déplaisirs qui ne me donnent pas un instant de relâche. »

Quelles peines ? Quelles douleurs ? Quel déplaisir ? Ils devaient être nombreux et la phrase prouve qu'ils étaient récents. Grimarest reste muet sur ce sujet. Il nous peint Molière obstiné à jouer par devoir... « Il y a cinquante pauvres ouvriers qui n'ont que leur journée pour vivre ; que feront-ils si l'on ne joue pas ? » Ce trait est noble et touchant, bien dans le caractère de Molière, mais il nous paraît faux en la circonstance.

Molière s'est plusieurs fois alité. Le théâtre alors a fait relâche pour cause d'indisposition, on l'a fermé en 1667 pendant plus de deux mois. Il est invraisemblable que ce soit seulement ce jour-là que Molière ait eu cette pensée généreuse.

L'on connaît la suite, Molière joue héroïquement *Le Malade imaginaire* et en prononçant « Juro » au cours de la cérémonie qui termine la pièce il est pris « d'une *convulsion* et il cache par un ris forcé ce qui vient de lui arriver ».

Le mot convulsion est étrange. Un rhume ou une fluxion ne provoquent pas de convulsion.

Notre auteur souffrait d'un ulcère, le régime lacté auquel il s'astreignait en est la preuve. Un breuvage malencontreux donné soit innocemment soit à dessein pourrait aussi bien expliquer les vomissements extraordinaires qui le prennent, d'abord en scène puis dans son appartement. Il va tout de suite dans la loge de Baron. Celui-ci lui saisit les mains qu'il trouve glacées.

Puis il rentre chez lui, se met au lit. Baron veut lui faire avaler du bouillon, « Eh non, s'écrie Molière, les bouillons de ma femme sont de vraies eau-forte pour moi ; vous savez tous les ingrédients qu'elle y fait mettre ; donnez-moi plutôt un petit morceau de fromage de parmesan. » Il ajoute encore : « Les remèdes qu'il faut prendre me font peur »...

Après avoir craché le sang, il dit à Baron épouvanté : « Allez dire à ma femme qu'elle monte. » Il reste assisté de deux religieuses auxquelles il donnait l'hospitalité et d'un nommé Couthon dont on ne parle pas ici.

Quand sa femme et Baron revinrent, conclut Grimarest, ils le trouvèrent mort.

AU-DELA DU RIDEAU

XI

AU-DELA DU RIDEAU

L'ÉGLISE refuse la sépulture chrétienne. Bossuet dit dans ses *Maximes et réflexions sur la comédie* : « La décision en est prise dans les rituels, la pratique en est constante ; on prive des sacrements à la vie et à la mort ceux qui jouent la comédie s'ils ne renoncent à leur art ; on les passe à la Sainte Table comme des pécheurs publics, on les exclut des ordres sacrés, comme des personnes infâmes ; par une suite infaillible la sépulture chrétienne leur est déniée. »

La veuve de Molière demande que son mari soit inhumé dans le cimetière de l'église Saint-Eustache sa paroisse. Le curé refuse. Pourquoi ? Molière était bon chrétien. Il avait fait ses Pâques l'année précédente. Armande adresse une requête à l'archevêque de Paris. « Le mourant, dit-elle, voulant témoigner des marques de repentir de ses fautes et mourir en bon chrétien, avec instances demanda un prêtre pour recevoir les sacrements et envoya plusieurs fois son valet et sa servante à Saint-Eustache, sa paroisse, lesquels s'adressent à Messieurs Lenfant et Lechat, deux prêtres habitués en ladite paroisse qui refusèrent *plusieurs fois* de venir, ce qui obligea le sieur Aubry (le fils de celui qui avait aidé Molière lors de ses débuts) d'y aller lui-même pour en faire venir, et de ce fait fit lever le nommé Paysant, aussi prêtre habitué au dit lieu, et toutes ces allées et venues tardèrent plus d'une heure et demie, pendant lequel temps ledit Molière décéda et ledit Paysant arriva comme il venait d'expirer. »

En 1685 Brecourt mourant appellera le curé de Saint-Sulpice qui lui fera signer en présence de quatre témoins la déclaration suivante : « Je promets à Dieu de tout mon cœur et avec une pleine liberté d'esprit, de ne plus jouer la comédie le reste de ma vie, quand il plairait à Son Infinie Bonté de me rendre la santé. » Après quoi, il lui donna l'absolution.

Une telle exigence peut paraître surprenante de la part de l'Eglise. Mais il ne faut pas oublier que c'est seulement en 1849 que le Concile de la province de Reims, tenu à Soissons, relèvera canoniquement les comédiens des censures injustes qui pesaient sur eux.

C'est un saint et un martyr, Mgr Affre qui, à Paris, contribuera à faire rentrer les comédiens dans le droit commun : d'abord en permettant à Rose Chéri de faire sa première communion et de se marier tout en restant comédienne, ceci en 1847, puis l'année suivante en répondant à une délégation de comédiens qu'il ne les regardait pas comme excommuniés.

Au XVIIe siècle il fallait faire acte de renoncement, abjurer son métier.

La religion l'exigeait ainsi. C'était une coutume, presque une formalité. Madeleine Béjart s'y était pliée. Molière de tout ce qui lui restait de forces voulait faire de même.

Pourquoi les prêtres ont-ils refusé de se rendre auprès d'un agonisant ?

Harlay de Champvallon, archevêque de Paris, rejette la requête de Mlle Molière. Il ne lui reste que le recours au Roi.

Brossette a écrit une note rapportée par Cizeron Rival au sujet de la demande d'Armande. D'après cette note : « Mlle Molière fit fort mal sa Cour en disant au Roi que, si son mari était un criminel, ses crimes étaient encouragés par Sa Majesté même. Par surcroît de malheur, la Molière avait mené avec elle le curé d'Auteuil, pour rendre témoignage des bonnes mœurs du défunt qui louait une maison dans ce village. Le curé au lieu de parler en faveur de Molière entreprit mal à propos de se justifier lui-même d'une accusation de jansénisme dont il croyait qu'on l'avait chargé auprès de Sa Majesté. Ce contre-temps acheva de tout gâter. Le Roi les renvoya brusquement l'un et l'autre en disant à la Molière que l'affaire dont elle lui parlait dépendait du ministère de M. l'Archevêque. »

Louis XIV fait en sorte, néanmoins, d'éviter l'éclat et le scandale, car Paris murmure déjà. Et l'archevêque révoque sa défense à condition que l'enterrement sera fait sans pompe et sans bruit.

On conte que le Roi aurait demandé au curé de Saint-Eustache qui s'obstinait : « Jusqu'à quelle profondeur la terre est-elle sainte ? — Jusqu'à quatre pieds, Sire — Eh bien enterrez-le à six pieds et qu'il n'en soit plus question. »

Cependant l'Eglise feint seulement de céder, les obsèques ont lieu la nuit à la lueur des flambeaux.

Le mardi 21 février, dit une relation du temps, on fit sur les neuf heures du soir le convoi de Jean-Baptiste Poquelin Molière, tapissier, valet de chambre, illustre comédien, sans autre pompe, sinon de trois ecclésiastiques ; quatre prêtres ont porté le corps dans une bière de bois, couverte du poêle des tapissiers, six enfants bleus portant six cierges dans six chandeliers d'argent, plusieurs laquais portant des flambeaux de cire blanche allumée. Le corps pris rue de Richelieu devant l'hôtel de Crussol, a été porté au cimetière Saint-Joseph et enterré au pied de la Croix.

La bière est recouverte du poêle des tapissiers. C'est le tapissier que le pouvoir ecclésiastique porte en terre, pas l'auteur du *Misanthrope*. On ne le met pas à Saint-Eustache mais à Saint-Joseph, lieu d'inhumation des suicidés et des enfants morts avant le baptême.

Et voici de nouveaux faits, très étranges :

Grimarest dit que : « Le jour qu'on le porta en terre, il s'amassa une foule incroyable de peuple devant sa porte (plus de quatre mille personnes). *La Molière en fut épouvantée. Elle ne pouvait pénétrer l'intention de cette populace.* On lui conseilla de répandre une centaine de pistoles par les fenêtres. *Elle n'hésita point.* Elle les jeta à ce peuple amassé en les priant avec des termes si touchants de donner des prières à son mari. Le convoi se fit tranquillement. »

Pourquoi la Molière a-t-elle été épouvantée ?

Avait-elle donc lieu de l'être ? Quelles auraient pu être les intentions de cette populace ? Il n'a jamais été dans les usages de distribuer de l'argent à ceux qui accompagnent un défunt à sa dernière demeure.

Les réactions de la veuve sont de divers ordres :

Elle semble avoir été bouleversée par la perspective d'un enterrement profane.

Un mois après la mort de son mari, elle fera paraître une édition du *Médecin malgré lui* qui porte au-dessous du titre :... « Et se vend pour la veuve de l'auteur ».

Elle donne une partie des manuscrits à la Grange. Elle en garde quelques-uns. En 1699, le fils qu'elle aura de son union avec Guérin parlera dans la préface de *Mélicerte* qu'il aura l'outrecuidance de terminer, des papiers de Molière.

On sait que tous ces papiers ont disparu et qu'il a couru sur leur compte des histoires rocambolesques. La vérité est plus simple. La veuve de La Grange vendra la bibliothèque de son mari. A quoi bon garder les vieux papiers. Les acheteurs les brûlent.

Au XVIIIe siècle, les œuvres de Molière connaîtront une baisse de faveur. La Révolution arrivera qui achèvera de tout balayer. Tout espoir n'est pas perdu, mais à l'heure actuelle, il ne reste, hélas, que quelque signatures de l'auteur de *L'Ecole des femmes.*

Molière en 1746 faisait si peu recette que le duc d'Aumont crut de son devoir de publier l'ordonnance suivante :

« Nous, Duc d'Aumont, pair de France, premier gentilhomme de la Chambre du Roy,

« Ayant observé que depuis quelques années les représentations des Comédies de Molière sont entièrement abandonnées par le public ; et ne pouvant attribuer cet inconvénient dans lequel les Comédiens sont tombés de les jouer trop souvent et par là de lasser les spectateurs. Voulant essayer de ranimer le goût du public pour des ouvrages qui font le principal fond de la Comédie françoise.

« Ordonnons aux Comédiens françois de Sa Majesté qu'à compter du jour du présent ordre il ne sera plus représenté sur leur théâtre aucune des comédies de Molière en cinq actes jusqu'à ce qu'il en soit par Nous autrement ordonné. »
« Mandons à M. Lenoir de Cindré, intendant des Menus-plaisirs du Roy, de tenir la main à l'exécution des présentes et de donner sur ce tous ordres nécessaires. »

Inutile de dire que cet ordre ne fut pas longtemps exécuté.

Une des premières préoccupations de Mlle de Molière est d'exiger que Mlle de Brie, son ancienne rivale, n'ait plus qu'une demi-part !

Au cours d'un des premiers hivers qui suivra, la Molière fera voiturer cent voyes de bois sur la tombe de son mari et les fera brûler pour chauffer les pauvres du quartier. Paris était à ce moment rempli de terrains vagues. Etait-il nécessaire de convier les pauvres à se chauffer, une fois seulement, autour d'une tombe ? Le feu sera si violent que la pierre tombale se fendra.

La peur de la Cabale encore toute-puissante ne lui a-t-elle pas dicté ce geste ? On eût aimé qu'elle fît placarder comme les Italiens, en 1688, après la mort d'Arlequin, l'affiche suivante :

« Nous avons longtemps marqué notre déplaisir par notre silence, et nous le prolongerions encore, si l'appréhension de vous déplaire ne l'emportait sur une douleur si légitime. Nous rouvrirons notre théâtre mercredi prochain.

« Dans l'impossibilité de réparer la perte que nous avons faite, nous vous offrirons tout ce que notre application et nos soins nous ont pu fournir de meilleur. Apportez un peu d'indulgence et soyez persuadés que nous n'omettrons rien de tout ce qui peut contribuer à notre plaisir. »

Pour Molière, pas d'affiche. Pas même de faire-part, ils furent défendus.

A qui sa mort profite-t-elle ? D'abord à Lulli qui chasse les comédiens et établit son opéra au Palais-Royal. Trouvant ainsi le moyen de rembourser la somme importante qu'il avait empruntée à son ancien ami, il montre à s'acquitter une hâte singulière.

Fait étrange Lulli deux ans plus tard accusera un certain Guichard d'avoir voulu le faire empoisonner avec du tabac mêlé d'arsenic. Guichard publiera un factum qui renferme les détails les plus circonstanciés sur les faits relatifs à ce prétendu empoisonnement qui aurait reçu un commencement d'exécution si Sébastien Aubry, beau-frère de Geneviève Béjart, elle-même alliée à Molière, eût consenti d'y prêter les mains à prix d'argent.

On trouve dans ce factum les plus épouvantables calomnies contre la veuve de Molière.

Après la mort de Lulli en 1687, l'épigramme suivante courra Paris :

Quel dommage ! le pauvre Lully
Cet homme en musique accomply
Et qui faisait des airs si tendres
Il est mort et fort regretté ;
Mais encor, s'il fust mort comme il l'a mérité,
Nous en aurions pu voir les cendres.

Tout cela sous-entend bien des choses.

Revenons à la fin de Molière. A qui profitait-elle ?
A la Cabale. Au roi peut-être, qui gardera long-

temps une sorte de prévention étrange à l'égard des pièces de Molière. Lui qui pendant douze années s'en était fait donner chaque semaine et souvent plusieurs fois par semaine le spectacle, qui voyait l'auteur presque chaque jour, qui le comblait de faveur, qui l'entretenait sur mille sujets, va refuser pendant quatorze ans de revoir les comédies auxquelles il se divertissait tant. Une seule fois, en 1674, il assistera à une représentation du *Malade imaginaire* (que d'ailleurs il n'avait jamais vu). Ce sera au retour de la conquête de la Franche-Comté. On a dit que le programme avait été établi sans son accord. Quoi qu'il en soit, il impose une sorte de silence terrifiant à l'œuvre de Molière. Un silence de quatorze années. La disgrâce s'étend au-delà de la tombe. Le Roi ne renonce ni au théâtre, ni au plaisir, seulement à l'auteur de *Tartuffe*. Pourquoi ?

D'Assoucy écrit : « l'ombre de Molière et son épitaphe » ; dans cette dernière, que voici, il nomme quelques-uns des ennemis du poète :

O dieux, que le destin sévère
De Poclin Baptiste Molière,
Qui tenoit le monde joyeux,
Va faire de gens mal-heureux !
Que le Marais est en cholère !
L'Hostel s'arrache les cheveux,
Lully le déplore en tous lieux,
La Faculté s'en désespère,
Cotin en a mouillé ses yeux,
Et le Tartuffe pris la haire.
Passant, si tu crois le contraire,
Et si de ce poète fameux
La gentillesse te fust chère,

A cest esprit plein de lumière
Donne au moins un soupir ou deux,
Et dis, approchant de sa bière :
Adieux les ris, adieu les jeux.

Après quoi D'Assoucy est mis au cachot pour un mois et menacé d'un procès criminel.

De Visé écrit dans *le Mercure Galant* : « S'il avait eu le temps d'être malade... » et *le Mercure Galant* est interdit momentanément.

S'il avait eu le temps d'être malade Molière aurait laissé un testament.

Marié sous le régime de la communauté, il n'ignorait pas les sentiments d'Armande pour leur fille, il aurait pris en faveur de Madeleine-Esprit certaines dispositions pour l'avantager et la soustraire à la tyrannie de sa mère.

Mais Molière n'a pas eu le temps d'être malade et sa fin a surpris tout le monde.

Cependant l'histoire officielle fera état d'une longue maladie à l'issue fatale.

C'est l'un ou l'autre. Les contemporains s'accordent sur la brusque disparition du grand comique. Ce n'est que peu à peu que l'on essaie de raccorder la mort foudroyante de Molière à la maladie dont il souffrait depuis au moins six ans.

L'acte d'inhumation ne sera pas signé contrairement à l'usage. Certains oseront avancer la thèse d'un double enterrement.

Son chef mort, la troupe du Palais-Royal fusionnera avec celle du Marais. Un comédien de cette dernière, Guérin d'Etriché, fera à la veuve de Molière une cour humble et opiniâtre. Elle le traitera longtemps avec arrogance, et même en esclave. A force de souplesse et de ténacité Guérin finira par la faire consentir au mariage. La noce conclue, cet homme courbé se redressera brusquement, parlera en mari autoritaire et en vrai Petrucchio dressera cette ravissante mégère. Elle s'étonnera, résistera un peu, pliera et se soumettra pour toujours. Elle vivra jusqu'en 1700 en femme effacée et obéissante auprès de ce mari qui mieux que Molière aura compris l'art et la manière de l'aborder. Elle lui donnera un fils. Mais revenons aux sombres heures :

La Grange note sur son registre : « Le 17 février 1673, après la quatrième représentation du *Malade imaginaire*, ce même jour après la comédie sur les dix heures du soir, M. de Molière mourut dans sa maison rue de Richelieu ; ayant joué le rôle du dit Malade imaginaire fort incommodé d'un rhume et fluxion sur la poitrine qui lui causait une grande toux, de sorte que dans les grands efforts qu'il fit pour tousser, il se rompit une veine dans le corps et ne vécut qu'une demie-heure ou trois quarts d'heure après la dite veine rompue. Son corps est enterré à Saint-Joseph aide de la paroisse Saint-Eustache. Il y a une tombe élevée d'un pied hors de terre. »

Après quoi La Grange dessine le fatal petit losange noir et referme le livre.

Le 17 février 1673 !... Le jour de la messe de bout de l'an de Madeleine Béjart.

Ainsi il s'agit d'une mort subite. Le journal de La Grange ne mentionne pas la moindre indisposition de son chef les jours précédents. Celui-ci était incommodé (le mot est léger) d'un rhume ou fluxion sur la poitrine. Meurt-on subitement d'un rhume ?

et s'il n'est pas mort d'un rhume de quoi est-il mort ?

La fin de Louvois, celle de Madame, celle de la Fontange et de tant d'autres qui disparurent soudainement au cours de ce siècle secret et dangereux ne peuvent pas ne pas nous venir à l'esprit.

L'attitude du Roi n'est pas ambiguë. Un mois après Sa Majesté donne la jouissance de la salle du Palais-Royal à Lulli. La Thorillière, Baron, la Beauval et son mari abandonnent leurs camarades. Suivant le mot de La Grange « ceux des acteurs et des actrices qui restent » se trouvent non seulement sans troupe mais sans théâtre.

C'est l'allégresse chez les petits et les envieux. Mme l'Hermitte écrit à M. de Modène : « Je vous assure que l'on ne parle non plus du pauvre Molière que s'il n'avait jamais été et que son théâtre qui a fait tant de bruit, il y a si peu de temps, est entièrement aboli, je crois vous l'avoir mandé, que tous les comédiens sont dispersés. Ainsi la veuve a été trompée parce qu'elle s'attendait bien à jouer ; mais on ne croit pas que jamais la troupe se réunisse. La Molière a voulu un peu trop faire la fière et la maîtresse. » Que de haine ! Que de mots troublants. Cependant La Grange réagit, il rassemble les fidèles et au mois de juin, ce qui reste de la troupe illustre s'associe, nous l'avons dit, à celle du Marais et s'établit rue Guénégault. Plus tard en 1680, une nouvelle fusion sera ordonnée et ce théâtre se réunira à celui de l'Hôtel de Bourgogne, ce sera la fondation de la Comédie-Française.

Selon La Grange, c'est la mort de La Thorillière survenue le 27 juillet 1680 qui donnera lieu à la jonction des deux troupes.

En 1682 le même La Grange, dans la préface des œuvres complètes arrivé au chapitre qui traite de la fin de Molière écrira : ... « Sa mort dont on a parlé *diversement*... »

La Grange est précis et prudent à l'extrême. Le mot ne lui a pas échappé. Il est d'une importance capitale. Rien n'est parvenu jusqu'à nous de ce qu'on disait pendant des années sur la mort de Molière. Mais si La Grange l'affirme, il n'est pas question d'en douter. On parlait, et on parlait *diversement*. Comment peut-on parler diversement d'une mort ?

En 1705 paraît une *Vie de Molière* signée Grimarest. L'on sait peu de choses sur cet auteur, mais son œuvre nous le montre prudent, timide même, crédule, et confondant l'anecdote avec le fait historique.

Quoiqu'il y ait dans cet ouvrage des erreurs évidentes (il affirme dès le début que la mère de Molière se nommait Boudet), l'intention de Grimarest est pure et même attendrissante. L'on ne peut douter de sa bonne foi. L'on y sent un homme rongé par le doute et le scrupule. Il commence en ces termes : « Il y a lieu de s'étonner que personne n'ait encore recherché la vie de Molière pour nous la donner. » Et en effet nous nous étonnons qu'il ait fallu attendre trente-deux ans pour la voir paraître.

Grimarest poursuit « Le public est rempli d'une infinité de fausses histoires à son occasion. » Trente-deux ans après il courait donc encore des histoires. C'est pour le moins étrange. Quelles histoires ? Ce sont elles que nous aimerions connaître. Il se garde bien de les mentionner, même pour s'en moquer.

Son récit terminé il se hâte d'écrire : « J'ai cru que je devais entrer dans le détail de la mort de Molière pour désabuser le public de plusieurs histoires que l'on a faites à cette occasion. » Encore ! Encore des histoires ! Toujours les mêmes probablement. Celles que tout Paris devait répéter et que ce siècle obscur et policier qui n'avait ni presse ni cafés est parvenu à nous cacher. Cela concorde bien avec le mot de La Grange : « Sa mort dont on a parlé diversement ».

Cela justifie une enquête. A notre époque un juge d'instruction serait commis, l'autopsie ordonnée.

Clore le dossier est un peu trop facile.

Il paraît en 1706, c'est-à-dire un an plus tard, une lettre critique sur la vie de Molière. L'auteur anonyme y raille durement Grimarest... « Il nous fait un long narré de la mort de Molière, comme si nous étions ses petits parents, qui voulussions en savoir jusqu'aux plus basses circonstances... Oh ! je ne dis tout cela, dit l'auteur, que pour ôter au public le préjugé qu'il a sur la mort de Molière. »

Le public avait donc un préjugé. Lequel ? De quel ordre ?

Le critique poursuit : « Grimarest ne dit pas la moitié de ce qu'il faut dire ; par exemple sur son enterrement dont il aurait eu de quoi faire un volume aussi gros que son livre et qui aurait été rempli de faits fort curieux qu'il sait sans doute. Car pour être *mystérieux* (le mot est éloquent) avec esprit, comme l'auteur, il faut savoir toutes les circonstances des faits qu'on rapporte. Pour moi, je n'en juge que par le bruit public (il y en avait tout de même un), on accuse l'auteur de n'avoir pas dit tout ce qu'il devait ou du moins tout ce qu'il *pouvait* dire : et dès que je suis prévenu sur cela je ne saurais être content de l'auteur qui devait tout dire ou se taire. Il a manqué à ce qu'il devait à la vérité, comme historien dès qu'il a supprimé des faits ou des circonstances. »

Cette fois le doute n'est plus permis, il s'est passé

quelque chose, mais quoi ? Grimarest qui veut aussi avoir le dernier mot publie une réponse à la critique. Il y affirme une fois de plus que : « Les circonstances qu'il a rapportées ont du moins servi à détromper le public de ce qu'il pensait sur cette mort. » Encore ! « C'était, conclut-il, la *principale fin* que je m'étais proposée. »

Cette insistance a quelque chose d'inquiétant. Elle sent la nécessité de donner une version désormais officielle.

Grimarest poursuit assez bizarrement : « Quant à ce qui se passa après que Molière fut mort, je laisse à mon censeur le soin de nous le donner. Apparemment qu'il en est bien informé puisqu'il avance qu'il y aurait de quoi faire un livre fort curieux. J'ai trouvé la matière de cet ouvrage *si délicate et si difficile à traiter que j'avoue franchement que je n'ai osé l'entreprendre* ; et je crois que mon critique y aurait été aussi embarrassé que moi ; il le sait bien. »

Avouons que c'est étrange. Et ce l'est encore davantage lorsqu'on apprend que le fils de Grimarest affirmait que son père était aussi l'auteur de la critique de son propre livre.

Ainsi Grimarest brûle du désir de dire tout ce qu'il sait. Il ne le peut faire sans danger. Alors il se renvoie la balle à lui-même comme pour mieux insister sur l'existence d'un mystère, comme pour inciter la postérité à fouiller le sol à certains endroits.

« La matière est si délicate, si difficile à traiter... » Pourquoi ? Pourquoi ce silence apeuré chez tous les contemporains ?

Le libraire Barbin, auquel la veuve de Molière vient de vendre pour la somme de six cents livres le manuscrit de la traduction de Lucrèce, refuse subitement de le publier parce que le dogme de l'immortalité de l'âme est mis en doute par le poète latin.

Entre l'achat du manuscrit et le refus d'imprimer (sa destruction sans doute), il y a place pour une intervention. Laquelle ? On peut trouver également étrange la précipitation mise par Mlle Molière à porter chez l'éditeur un ouvrage que son mari avait toujours et obstinément refusé de mettre au jour.

Elle n'avait pas besoin d'argent.

N'aurait-elle pas eu, ou bien ne lui aurait-on pas suggéré l'idée de cette publication afin de justifier les accusations d'athéïsme dont Molière mort était plus que jamais l'objet ? La question peut se poser.

On ne comprend pas pour quelles raisons Barbin aurait payé six cent livres le droit de détruire un texte.

Pour revenir à Grimarest : l'honnête Boileau se contentera de dire qu'il se trompe dans tout, ne sachant même pas les faits que tout le monde sait. Quels faits ? Pourquoi ce silence de Baron, témoin de la mort ? Baron se piquait d'écrire et aurait pu balayer d'un mot toutes ces histoires... Il lui aurait été facile de dire : « J'étais là. Voici comment les choses se sont passées. » Non. Pris entre sa conscience et sa crainte, il choisit le silence.

Le rôle de Baron reste suspect. A peine Molière est-il mort qu'il quitte lâchement son théâtre et passe à l'Hôtel de Bourgogne. C'est donc là cette fidélité à la mémoire de son maître, cet amour tendre, sincère et respectueux qu'il se vantera toujours d'avoir montré ; sans compter qu'il trahit aussi Armande. Grimarest a écrit la vie de Molière — il le dit — sur des indications fournies presque exclusivement par Baron. Son ouvrage pourrait tout aussi bien s'intituler

« La vie de M. Baron », tout y est mis en œuvre pour faire un petit saint du comédien qui abandonne sans délai ses camarades du Palais-Royal en proie à mille difficultés du fait de la mort de leur chef pour aller, par intérêt, rejoindre les ennemis de Molière.

Grimarest, le très prudent, avance tout de même que « ses ennemis s'excitèrent encore après sa mort pour attaquer sa mémoire ; ils répétaient toutes les calomnies, toutes les faussetés, toutes les mauvaises plaisanteries, que des poètes ignorants ou irrités avaient répandues quelques années auparavant. C'était disait-on, un homme sans mœurs, sans religion, mauvais acteur. »

Il paraît dès que Molière est mort un nombre incroyable d'épitaphes dont la plupart sont malveillantes.

Un certain Des Iles Le Bas (le bien nommé) ose écrire un sonnet ignoble intitulé : « Sur la sépulture de Jean-Baptiste Poquelin, dit Molière, comédien au cimetière des morts nés à Paris :

De deux comédiens la fin est bien diverse :
Genest, en se raillant du baptême chrétien,
Fut, mourant, honoré de ce souverain bien,
Et souffrit pour Jésus une mort non perverse.
Jean-Baptiste Poclin (sic), son baptême renverse,
Et, tout chrétien qu'il est, il devient un payen.
Ce céleste bonheur enfin n'était pas sien,
Puisqu'il en fit vivant, un infâme commerce.
Satirisant chacun, cet infâme a vécu
Véritable ennemi de sagesse et vertu :
Sur un théâtre, il fut surpris par la mort même.
O le lugubre sort d'un homme abandonné !

Molière, baptisé, perd l'effet du baptême,
Et dans sa sépulture, il devient un mort-né.

Le père Bonhours, jésuite et savant, semble lui répondre dans son épitaphe :

Tu réformas et la Ville et la Cour·
Mais quelle en fut la récompense ?
Les Français rougiront un jour
De leur peu de reconnaissance.
Il leur fallut un comédien,
Qui mit à les polir sa gloire et son étude.
Mais Molière, à ta gloire il ne manquerait rien,
Si, parmi les défauts que tu peignis si bien,
Tu les avais repris de leur ingratitude.

Quatre ans plus tard, Boileau, dans sa fameuse épître, réconciliera Racine (on aimerait à penser qu'il n'en était pas besoin) avec la mémoire de notre poète :

Avant qu'un peu de terre, obtenu par prière
Pour jamais sous la tombe eût enfermé Molière,
Mille de ces beaux esprits, aujourd'hui si vantés,
Furent des sots esprits à nos yeux rebutés.
L'ignorance et l'erreur, à ses naissantes pièces,
En habit de marquis, en robes de comtesses,
Venaient pour diffamer son chef-d'œuvre nouveau,
Et secouaient la tête à l'endroit le plus beau.
Le commandeur voulait la scène plus exacte ;
Le vicomte indigné sortait au second acte.
L'un, défenseur zélé des bigots mis en jeu,
Pour prix de ses bons mots le condamnait au feu ;
L'autre, fougueux marquis, en déclarant la guerre,

Voulait venger la Cour immolée au Parterre.
Mais, sitôt que d'un trait de ses fatales mains
La Parque l'eut rayé du nombre des humains,
On reconnût le prix de sa Muse éclipsée :
L'aimable comédie, avec lui terrassée,
En vain d'un coup si rude espéra revenir.
Et sur ses brodequins ne put plus se tenir.
Tel fut chez nous le sort du Théâtre comique.

A ce noble concert, La Fontaine voulut joindre sa voix :

Sous ce tombeau gisent Plaute et Térence
Et cependant le seul Molière y gît
Leurs trois talents ne formaient qu'un esprit,
Dont le bel art réjouissait la France.
Ils sont partis ! Et j'ai peu d'espérance
De les revoir. Malgré tous mes efforts
Pour un long temps selon toute apparence
Térence et Plaute et Molière sont morts.

C'est par ces vers si tendres et si profonds qu'il faudrait terminer. Mais hélas, les écrits infâmes se font de plus en plus nombreux.

Pourquoi ? A qui veut-on faire plaisir ? Qui veut-on justifier ? L'histoire ou la littérature ne fournissent pas un seul autre exemple d'une haine aussi tenace. Il y a d'autres auteurs, d'autres comédiens tout aussi infâmes, on n'attaque que lui, pourquoi ?

Pourquoi Bossuet vingt-cinq ans plus tard, fait-il entendre sa voix si sévère :

« La postérité saura peut-être la fin de ce poète comédien, qui en jouant son « malade imaginaire » ou son « médecin par force » (il n'était pas fixé), reçut la dernière atteinte de la maladie dont il mourut peu d'heures après et passa des plaisanteries du théâtre parmi lesquelles il rendit presque le dernier soupir au tribunal de celui qui a dit : « Malheur à vous qui riez car vous pleurerez ».

Il faudra attendre presque trois siècles pour que Pie XI dise à M. Georges Le Roy : « Bossuet avait été trop loin. »

Non la postérité ne sait pas encore la fin de ce poète comédien. Ce qu'elle sait c'est que cette fin a deux sens : combat pour la vérité professionnelle, combat pour la vérité tout court ; et qu'on aurait pu déjà appliquer à Molière le mot d'Anatole France à Zola : « Il fut un moment de la conscience humaine. »

Il serait téméraire de conclure, il ne serait pas honnête de clore à jamais l'enquête. Sans aller jusqu'à reprendre une hypothèse émise plusieurs fois au XIXe siècle, et qui aurait fait de Molière le masque de fer... il avait le teint brun ; ses traits étaient connus et sa disparition concorderait à peu près avec l'apparition du fameux personnage, il faut admettre l'existence d'un mystère. Sa vie en aura été pleine, sa mort pose une énigme. Et ceci nous amène à faire un rapprochement curieux avec l'existence d'un autre poète dramatique : Shakespeare. La confrontation offre quelque chose de surprenant : Tous deux à vingt et un ans ont embrassé la profession de comédien. Douze années durant ils ont couru la province avant de mettre au jour leur première œuvre, chacun d'eux a écrit trente-trois pièces, tous deux sont morts dans leur cinquante-deuxième année. Que reste-t-il de tous deux : des chefs-d'œuvre dont la paternité leur a été maintes fois contestée et quelques signatures péniblement authentifiées. Le mystère plane sur tous deux.

Ainsi se vérifie éternellement le mot de Balzac : « Molière ! un seul nom qui dit tout et qui fait rêver. »

APPENDICE

APPENDICE

Nombreux sont les emprunts faits, au cours de ce récit, à l'œuvre de Molière. La ravissante peinture d'Armande, par exemple, est extraite du *Bourgeois gentilhomme.*

Si nous avons craint de fatiguer le lecteur en le renvoyant fréquemment au bas de la page, il nous paraît utile de préciser que tout ce que dit Molière est tiré de ses propres écrits ou de témoignages contemporains dignes de foi.

Le portrait de notre auteur est dû à Mlle Poisson, fille de Du Croisy, le créateur de Tartuffe.

La première biographie de Molière date de 1682. Elle est l'œuvre de La Grange et, quoique fort courte, très précieuse du fait même de la personnalité de son auteur — comédien probe, parfait second, homme honnête, historien scrupuleux, âme pure.

En 1705 paraît une « Vie de Molière » signée Grémaret. Une nouvelle notice biographique de Bruzen de la Martinière et du comédien Marcel précède l'édition d'Amsterdam de 1725 ; De la Serre signe celle de la fameuse édition de 1734, illustrée par Boucher.

C'est en 1739 que Voltaire publie une « Vie de Molière » décevante et inexacte, et c'est en 1773 — cent ans après la mort du poète — que Bret fait paraître la première édition critique, illustrée par Moreau le jeune.

A peu près vers cette époque, le premier Moliériste entre en scène ; il se nomme Beffara, c'est un commissaire de police. Il consacrera une partie de sa vie à fouiller les archives de la Capitale et de ses environs ; c'est lui qui fixera la date du baptême et qui retrouvera l'emplacement exact de la maison natale ; en 1825, il encouragera un jeune homme de vingt ans, Jules Taschereau, à écrire la première « Vie de Molière » vraiment sérieuse, un ouvrage clair, honnête et digne.

Pendant la seconde moitié du XIXe siècle les Moliéristes deviendront légion ; ils feront paraître une revue « Le Moliériste » qui pendant dix années, de 1879 à 1889, apportera quantité de renseignements précieux, émettra des hypothèses hardies, et se perdra par excès d'amour dans les détails futiles. Tous les 15 janvier un banquet Molière réunissait tous ces passionnés.

De 1873 à 1900, E. Despois et P. Mesnard établissent l'édition des grands écrivains, véritable monument consacré à la vie et à l'œuvre de Molière.

Heureux temps ! Les Moliéristes s'écrivaient, se provoquaient, rivalisaient, s'invectivaient et, quelquefois même, allaient devant les tribunaux.

Chacun aurait donné une année de sa vie pour prouver, par exemple, qu'Harpagon venait d'Arpajon.

Les principaux de ces érudits avaient pour nom :

Monval, E. Soulié, Bazin, Loiseleur, Lacroix, Campardon, Livet...

Plus tard, G. Michaut viendra jeter le doute et refroidir l'enthousiasme. Ses travaux seront remarquables.

Saluons, plus près de nous, le sérieux livre de René Bray et l'œuvre à la fois tendre et profonde de M. Pierre Brisson.

Par les énigmes qu'elle pose et du fait même que celles-ci n'ont pas été résolues, la vie de Molière est entrée dans la légende. Peut-être eût-il été préférable et plus doux de l'y laisser. Mais notre temps est exigeant sur le chapitre de la vérité humaine. C'est à sa recherche que nous sommes partis, nous référant au texte, aux témoignages des contemporains, à l'histoire générale, aux mœurs et aux règles du métier.

Tenté souvent par l'incursion dans l'œuvre elle-même, nous avons résisté autant que cela nous était possible, réservant l'analyse et la critique pour plus tard, si Dieu le permet.

[illegible]

Renaud, [illegible] Sudré, Bezin, Legrain et [illegible] [illegible] Nardon, Lardé.

Plus [illegible] [illegible] [illegible] [illegible] [illegible] remarqué l'embouchure [illegible] [illegible] [illegible] quables.

[illegible] nous, plus [illegible] que les [illegible] [illegible] [illegible] [illegible] [illegible] [illegible] [illegible] [illegible] [illegible] [illegible] [illegible] [illegible]

Pour [illegible] enfants qu[illegible] grand [illegible] le chapitre [illegible] [illegible] [illegible] [illegible] [illegible] [illegible] [illegible] [illegible] [illegible] au reste, [illegible] [illegible] [illegible] [illegible] [illegible] [illegible] [illegible] [illegible] [illegible] [illegible] [illegible] Toute souvent [illegible] [illegible] [illegible] [illegible] [illegible] [illegible] nous [illegible] [illegible] [illegible] [illegible] [illegible] [illegible] possible [illegible] [illegible] [illegible] [illegible] [illegible] tard, et [illegible] le [illegible].

TABLE DES MATIÈRES

TABLE DES MATIÈRES

— ACHEVÉ D'IMPRIMER —
LE 19 SEPTEMBRE 1963
SUR LES PRESSES
DE
CARLO DESCAMPS
CONDÉ-SUR-ESCAUT

Dépôt légal : 3e trimestre 1963
N° éditeur 72
Imprimé en France